Le trio infernal

gossip girl

Le trio infernal

Roman de
Cecily von Ziegesar

Fleuve Noir

Titre original :
The Carlyles

Traduit de l'américain par
Marianne Thirioux

alloyentertainment

© 2008 by Alloy Entertainment
© 2008 Fleuve Noir, département d'Univers Poche,
pour la traduction en langue française.
ISBN : 978-2-265-08690-6

Je souhaite que nous devenions, l'un pour l'autre, encore plus étrangers que nous ne sommes.

William Shakespeare

 gossipgirl.net

thèmes ◀précédent suivant▶ envoyer une question répondre

Avertissement : tous les noms de lieux, personnes et événements ont été modifiés ou abrégés afin de protéger les innocents. En l'occurrence, moi.

Salut à tous !

Étonnés d'avoir de mes nouvelles ? Il ne faut pas, voyons ! Il s'est passé quelque chose dans l'Upper East Side et je suis incapable de garder ma langue dans ma poche. Un nouveau trio vient d'arriver en ville, et il est bien trop exquis pour que je garde le silence…

Mais d'abord, un petit retour en arrière :

Comme nous le savons tous, notre bien-aimée Avery Carlyle s'est éteinte cet été. Bienfaitrice hors du commun, elle fit don d'une partie de sa fortune à des musées, des bibliothèques et des parcs, comme d'autres font don de robes de la saison passée au dépôt-vente de St. George's. À dix-sept ans, elle défraya la chronique en dansant sur les tables au premier spectacle d'Elvis à New York. À vingt et un ans, elle se maria – pour la première fois – et aménagea dans le célèbre hôtel particulier couleur pêche à l'angle de la 61e et de Park. Et à soixante-dix ans, elle buvait encore du whisky-soda et était toujours entourée de pivoines blanches fraîchement coupées. Mais surtout, elle savait exactement comment obtenir ce qu'elle désirait – de ses maris, des dames de la haute société, des chefs d'État, de tout le monde, de *n'importe qui.* Une femme comme je les aime.

Et en quoi cela devrait-il vous intéresser, vous dites-vous ? Du calme, du calme, j'y viens ! Edie, la fille rebelle d'Avery Carlyle, qui s'est enfuie voilà quelques années dans l'île de Nantucket pour trouver sa voie dans l'art, fut rappelée à New York afin de régler les affaires de sa mère. À en juger par la bibliothèque qui déborde de journaux reliés de cuir – et les six mariages annulés – que Mme Carlyle mère laissa dans son sillage, cela risque de prendre un bon moment. Raison pour laquelle Edie vient de fermer la maison de Nantucket pour déménager avec ses triplés sans père dans un appartement de luxe tristement célèbre, situé sur la 72e et la 5e. Laissez-moi vous présenter les Carlyle : **O**, à la beauté brute, trop bien foutu, cheveux or, jamais sans son Speedo... jusque-là, tout va bien. Puis il y a **A**, cheveux blond blé, yeux cobalt, une déesse de conte de fées en Marni. Et enfin **B**, pour Baby, tout simplement. *Ouah*. Mais où s'arrête véritablement son innocence ?

Bien sûr, nos amis de l'Upper East Side ne manqueront pas de faire des leurs. Il y a **J**, que l'on a vue pour la dernière fois en train de boire des gins-citron vert sur un yacht à **Sagaponack**. Mais que faisait-elle là, alors qu'elle était censée enchaîner les arabesques à l'Opéra de Paris ? La pression était-elle trop forte ou était-elle simplement nostalgique de **J.P.**, son futur P.-D.G. de petit ami ? N'oublions pas **R**, toujours tiré à quatre épingles, qui faisait des longueurs dans la piscine sur le toit de **Soho House** pendant que sa mère filmait une rubrique sur les divertissements d'été pour son émission télévisée, *Thé chez lady Sterling*. Nous savons tous que **lady S** a hâte de planifier son mariage de conte de fées avec **K**, sa petite amie de toujours, mais un amour de jeunesse peut-il durer ? Surtout quand on a vu **K** au confessionnal de **St. Patrick** ? Il paraît que se confesser est bon pour l'âme.

Que penseront les vieux de la vieille de ces trois nouveaux venus sur cette belle île qu'est la nôtre ? Moi, pour ma part, j'ai hâte de voir s'ils vont couler ou nager...

VOS E-MAILS :

Q: Chère GG,

Alors voilà, ma mère a fréquenté Constance Billard avec celle des triplés il y a un million d'années, et elle m'a dit que la raison pour laquelle ils ont aménagé ici, c'était parce que **A** a couché avec toute l'île – garçons et filles. Et **B** est, genre, un génie fou et brillant, mentalement instable, qui ne lave jamais ses vêtements. Et **O** nage apparemment jusqu'à Nantucket en Speedo tous les week-ends. C'est vrai ?
— TriO.

R: Chère TriO,

Intéressant. À ce que j'ai vu, **A** a l'air parfaitement innocente. Mais nous savons tous que les apparences peuvent être trompeuses. Nous verrons si **B** s'en sort brillamment en ville. Quant à **O**, Nantucket n'est pas la porte à côté, je doute donc qu'il puisse s'y rendre à la nage. Mais s'il y arrive… voici un mot pour toi : *endurance*. Exactement ce que je recherche chez un homme.
— GG.

Q: Chère GG,

Je viens d'aménager ici et j'adore New York ! As-tu des conseils pour que cette année soit la meilleure du monde ?
— FILLED1TROUPAUMÉ

R: Chère FDTP,

Tout ce que je peux te dire, c'est fais attention. Manhattan est une toute petite ville, bien que sûrement plus fabuleuse que celle d'où tu viens, où que ce soit. Quoi que tu fasses et où que tu sois, quelqu'un te regarde. Et ce n'est pas pour que l'on dise du mal à toi à la cafétéria de ton lycée – non, ici, dans cette ville, les potins se retrouveront forcément dans les pages people ou sur Gawker[1]. À condition que tu sois suffisamment intéressante ou importante pour que l'on dise du mal de toi, cela va de soi. Croisons les doigts.

— GG.

Q: Chère GG,
Je parie que tu racontes que tu as reporté ton entrée à la fac parce que tu n'as été reçue nulle part. De plus, j'ai entendu dire qu'un certain propriétaire de singe n'est jamais arrivé à West Point, et je trouve cela plutôt mystérieux qu'il soit encore là et toi aussi. Es-tu vraiment une fille ? Ou serais-tu retraité ? Je parie que tu n'es qu'une ringarde de treize ans sans seins, de sorte que l'on ne peut pas savoir si tu es une fille ou un garçon. En gros, tu n'es pas du tout la vraie Gossip Girl. Même ton site est différent.

— RUCHUCKB

R: Chère RUCHUCKB,
Premièrement, cela s'appelle un relookage ! Il faut sortir un peu ! Deuxièmement, je suis flattée que ma présence perpétuelle fasse naître des hypothèses de complot. Désolée de te décevoir, mais il n'y a pas plus féminine que moi, et sans singe en vue. Mon âge ? Comme dirait la vénérable Avery Carlyle mère : Une vraie dame ne révèle jamais son âge.

— GG

---

1. Tabloïd en ligne, site web traquant les people. *(N.d.T.)*

ON A VU :

Ça vient d'arriver, chez les nouveaux : **O**, courir à **Central Park**, sans chemise. En *possède*-t-il une, d'ailleurs ? Espérons que non ! **A**, essayer une nouvelle minirobe YSL argent pailletée dans la cabine de chez **Bergdorf's**. Personne ne lui a dit qu'il existait un code vestimentaire à Constance ? Et **B**, sa sœur brune, chez **FAO Schwarz**, accrochée à un type en sweat à capuche Nantucket High rouge écurie, faire prendre des poses inappropriées à des animaux en peluche et les photographier. C'est ce qu'ils font pour s'éclater dans leur trou ?

Bien, mesdames et messieurs, vous devrez probablement tous faire du shopping de rentrée, ou pour ceux qui sont déjà à l'université, lire Ovide et descendre une bière dans votre nouvelle chambre de deux mètres sur trois. Mais ne vous inquiétez pas, je serai là, en train de boire un verre de sancerre dans l'alcôve qui fait l'angle chez Balthazar et de rendre compte de ce que vous loupez. C'est l'aube d'une nouvelle ère dans l'Upper East Side, et avec ces trois-là en ville, je sais qu'une nouvelle année de folie va commencer…

Vous m'adorez, ne dites pas le contraire,

bienvenue dans la jungle

Baby Carlyle se réveilla en entendant le camion des éboueurs qui klaxonnait bruyamment sur la 5e Avenue. Elle frotta ses paupières gonflées et posa ses pieds nus sur les briques rouges de la nouvelle terrasse de sa famille, serrant le sweat-shirt rouge Nantucket High de son petit ami contre son corps maigre.

Même s'ils habitaient au tout dernier étage, seize étages au-dessus de la 72e et de la 5e, elle entendait les bruits de la ville qui se réveillait en contrebas. C'était tellement différent de chez elle à Siaconset, Nantucket, plus connu sous le nom de Sconset, où elle s'endormait sur la plage avec Tom Devlin, son petit ami. Ses parents possédaient un petit *bed and breakfast*, et son frère et lui vivaient dans un petit cottage d'invités sur la plage depuis qu'ils avaient treize ans. Il avait fait la surprise à Baby en venant lui rendre visite à New York le week-end dernier, mais il était reparti hier soir. Comme elle ne parvenait pas à dormir, elle avait traîné une couette sur le hamac de la terrasse.

On dort à la fraîche ? Comme c'est… *nature.*

Baby passa les portes-fenêtres coulissantes en traînant les pieds et pénétra dans l'appartement immense qu'elle était désormais censée appeler son chez-elle. La série de vastes pièces crème aux sols de bois de feuillu étincelants et aux détails de marbre ornés était tout le contraire de confortable. Elle tira la couette Frette derrière elle, balayant les sols impeccables en se frayant un chemin jusqu'à la chambre de sa sœur Avery.

Les cheveux or d'Avery étaient éparpillés sur son oreiller rose clair et elle ronflait comme une bouilloire cassée. Baby sauta sur le lit d'un coup.

— Hé !

Avery s'assit sur le lit et remonta la bretelle de son caraco Cosabella blanc sur son épaule bronzée. Ses longs cheveux blonds étaient emmêlés et ses yeux bleus, chassieux, mais elle était tout de même royalement belle, exactement comme leur grand-mère. Mais pas comme Baby.

— C'est le matin, annonça Baby en sautant sur ses genoux comme une fillette de quatre ans shootée aux céréales Honey Smacks. Elle tâchait de se montrer pleine d'entrain, mais tout son corps était lourd. Non seulement toute sa famille s'était déracinée de Nantucket la semaine dernière, mais New York City n'avait jamais été – et *ne serait jamais* – son chez-elle.

Quand Baby est née, son arrivée avait surpris sa mère et la sage-femme qui croyait qu'Edie n'aurait que des jumeaux. Si son frère et sa sœur portaient les noms de leurs grands parents maternels, le troisième enfant inattendu avait simplement été appelé Baby sur son certificat de naissance. Le nom lui resta. Chaque fois que Baby venait rendre visite à sa grand-mère à New York, il était clair aux soupirs de cette dernière que si des jumeaux étaient acceptables, trois était un nombre d'enfants difficile, surtout pour une mère célibataire comme Edie. Baby était toujours trop peu soignée, trop bruyante, *trop quelque chose* pour grand-mère Avery, *trop quelque chose* pour New York.

À présent, Baby se demandait si elle n'avait pas eu raison. Tout, des pièces carrées de l'appartement au plan des rues de New York, évoquait l'emprisonnement et l'ordre. Elle sauta de nouveau sur le lit de sa sœur, qui poussa un soupir endormi.

— Allez, debout! la pressa Baby, bien qu'il fût à peine dix heures et qu'Avery aimât toujours faire la grasse matinée.

— Quelle heure est-il?

Avery s'assit sur son lit et se frotta les yeux. Elle ne parvenait pas à croire que Baby et elle aient un lien de parenté. Baby faisait toujours des choses ridicules, comme apprendre à Chance, leur chien, à communiquer en clignant des yeux. C'était comme si elle était défoncée en permanence. Mais si son petit ami était un fumeur de shit invétéré, les drogues n'avaient jamais été son truc à elle.

Comme si elle en avait besoin.

— Il est dix heures passées, mentit Baby. Tu veux sortir? C'est vraiment joli, l'enjôla-t-elle.

Avery jaugea du regard les longs cheveux châtains emmêlés et les yeux noisette gonflés de sa sœur, et comprit immédiatement qu'elle avait pleuré toute la nuit à cause de son loser de petit ami. À Nantucket, Avery faisait tout son possible pour esquiver Tom, mais la semaine dernière, elle n'avait pas pu éviter sa vulgarité, depuis ses chaussettes de sport Gap blanches tachées qu'il roulait en boule et donnait à leur chat Rothko, à la fois où elle l'avait surpris en boxer à l'effigie du Père Noël en train de fumer la pipe à eau sur la terrasse. Elle savait que Baby aimait les garçons *authentiques*, mais *authentique* signifiait-il forcément épouvantable?

Réponse courte? Non.

— Très bien, je sors.

Avery s'extirpa de sous les draps en coton italien à six cents fils et sortit pieds nus sur la terrasse, Baby sur ses pas. Le soleil aveuglant lui fit plisser les yeux. En contrebas, la large rue était vide, à l'exception d'une limousine noire à la ligne aérodynamique qui passait de temps en temps sur l'avenue à toute allure dans un glissement de pneus. Derrière s'étendait Central Park, luxuriant, où Avery parvenait tout juste à distinguer le dédale de chemins qui serpentaient à travers la verdure.

Les deux sœurs s'assirent côte à côte, se balancèrent dans le hamac et contemplèrent les autres terrasses et balcons aménagés de la 5e Avenue, déserts à l'exception d'un jardinier sur le toit, ici ou là. Avery soupira de satisfaction. De là-haut, elle avait l'impression d'être la reine de l'Upper East Side, précisément ce pour quoi elle est née.

Vraiment?

— Salut!

Leur frère Owen, du haut de son mètre quatre-vingt-dix, les rejoignit torse nu sur la terrasse, une brique de jus d'orange et une bouteille de champagne à la main, en maillot de bain Speedo noir et rien d'autre. Avery regarda son frère obsédé par la natation en levant les yeux au ciel : il pouvait aisément faire rouler n'importe qui sous la table avant de le battre à l'épreuve de nage en eau libre.

— Mimosa, quelqu'un?

Il but un coup de jus d'orange à même la brique puis se fendit d'un grand sourire en avisant la grimace de dégoût d'Avery. Baby secoua tristement la tête et ses cheveux emmêlés effleurèrent ses omoplates. Toujours minuscule, elle paraissait désormais extrêmement fragile. Ses cheveux châtains décoiffés avaient déjà perdu les mèches miel qui ressortaient toujours les premières semaines d'un été à Nantucket.

— Quoi de neuf? demanda-t-il à ses sœurs, complice.

— Rien, répondirent les filles à l'unisson.

Owen soupira. Ses sœurs étaient tellement plus faciles à comprendre quand elles avaient dix ans, avant qu'elles ne se mettent à jouer les saintes nitouches et à échanger des messes basses.

Il but un coup de jus d'orange en se demandant s'il comprendrait les filles un jour. Si elles n'étaient pas aussi irrésistibles en général, il aurait pu renoncer à elles et se faire prêtre. Exemple typique : s'il était debout si tôt, c'était uniquement à cause du rêve à moitié pornographique qui l'avait obligé à se lever pour partir en quête vaine d'une piscine.

Rêvé de *qui*? Des détails, s'il te plaît!

Il déposa la bouteille de champagne intacte dans une grande jardinière de marguerites et but un autre coup de jus d'orange avant de se faufiler dans le hamac à côté de ses sœurs. Il jeta un œil à la masse d'arbres en bas, sans parvenir à croire que Central Park semblait si petit. De là-haut, tout avait l'air miniature. Pas comme à Nantucket où l'étendue d'océan foncée s'étendait à l'infini. Sconset était le point le plus proche du pays du Portugal et de l'Espagne, et Owen s'était toujours demandé combien de temps il lui faudrait pour y parvenir à la nage.

— Booooonjouuuuur!

Le bruit de la voix de leur mère et le cliquetis de ses bracelets argent et turquoise artisanaux parvinrent jusqu'à la terrasse depuis l'intérieur. Edie Carlyle apparut sur le pas de la porte. Elle portait une robe bain de soleil Donna Karan à motifs floraux bleus et avait attaché sa coupe au carré blonde parsemée de gris en centaines de nattes minuscules. Elle tenait plus du porc-épic effarouché que de la résidente de l'un des quartiers les plus sélects de Manhattan.

— Je suis tellement contente que vous soyez tous là, commença-t-elle, à bout de souffle. J'ai besoin de votre avis sur quelque chose. Entrez, c'est à l'intérieur.

Elle montra l'entrée d'un geste, ses gros bracelets cliquetant les uns contre les autres.

Avery gloussa quand Owen glissa obligeamment du hamac et

entra dans l'appartement à pas de loup, suivant les longues enjambées d'Edie. Toute la semaine dernière, Owen avait joué le conseiller artistique *de facto* de sa mère. Il s'était rendu presque tous les soirs à des vernissages, en général dans des galeries bondées empestant le patchouli à Brooklyn ou dans le Queens, où il avait bu du chardonnay tiède en faisant semblant de savoir de quoi il parlait.

Les pièces spacieuses lambrissées de bois de l'appartement de luxe qui avait autrefois dû héberger des fauteuils Louis XIV en toile et des tables Chippendale étaient à présent vides, hormis quelques vieilleries qu'Edie avait trouvées par l'intermédiaire de son vaste réseau d'amis artistes. Avery avait immédiatement commandé une déco ultramoderne chez Jonathan Adler et Celerie Kempbell, mais les meubles n'étaient pas encore arrivés. Entre-temps, Edie avait réussi à trouver un canapé orange rongé par les mites qui trônait au milieu du séjour. Rothko le grattait furieusement, sa nouvelle activité préférée depuis leur aménagement à New York. Ils avaient laissé la plupart de leurs animaux domestiques – trois chiens, six chats, une chèvre et deux tortues – à Nantucket. Rothko devait probablement se sentir seul.

Pas pour longtemps. Un chinchilla en plâtre de soixante centimètres de haut, peint en bleu marine et recouvert d'un papier bulles, était assis à côté du chat.

— Qu'en pensez-vous ? demanda Edie, ses yeux bleus étincelants. Un homme le vendait pour cinquante *cents* dans la rue à Red Hook quand je rentrais hier soir d'une représentation. C'est du *found art*[1] new-yorkais authentique, ajouta-t-elle, en extase.

— Je me casse, annonça Avery en s'éloignant de la sculpture de plâtre comme si elle était contaminée. Baby et moi allons chez

1. Forme d'art réalisé à partir d'objets trouvés. (*N.d.T.*)

Barney's, ajouta-t-elle en plantant ses yeux dans ceux de sa sœur pour l'implorer d'accepter.

Baby avait broyé du noir tout le week-end dans le stupide sweat-shirt de Tom. Cela devait cesser.

Baby secoua la tête en serrant encore plus le sweat-shirt rouge contre son corps. En fait, elle aimait bien le chinchilla. Il paraissait aussi peu à sa place qu'elle dans leur appartement surchargé.

— J'ai des projets, mentit-elle.

Elle déciderait quels étaient ses projets à la minute où elle serait hors de la vue de sa famille.

Owen contempla la statue. On aurait dit qu'un œil aux lourdes paupières du chinchilla lui faisait un clin d'œil. Il fallait absolument qu'il sorte de cette maison.

— Hum, je dois aller chercher des trucs de natation. (Il se rappelait vaguement avoir reçu un e-mail lui demandant de récupérer son uniforme chez le capitaine de l'équipe de St. Jude's avant la rentrée, demain.) Il faudrait peut-être que j'y aille.

— D'accord, roucoula Edie quand Avery, Owen et Baby s'éparpillèrent aux quatre coins de l'appartement.

L'école reprenait demain. C'était l'aube d'une nouvelle ère.

Edie transporta tendrement la sculpture du chinchilla dans son atelier.

— Amusez-vous bien pour votre dernier jour de liberté ! cria-t-elle, sa voix retentissant sur les murs de l'appartement.

Parce qu'ils ne trouvent pas *toujours* le moyen de s'amuser ?

les meilleures choses dans la vie sont gratuites

Avery ne put s'empêcher de sourire intérieurement quand elle sortit de l'immeuble et se mit à descendre la 5e. Il n'était que dix heures du matin, mais les rues grouillaient déjà de touristes et de familles. Une brise fraîche rafraîchit cette fin de mois d'août et la fit frissonner d'impatience. Elle avait hâte de voir les arbres qui bordaient l'avenue devenir orange, rouge et jaune vif. Elle avait hâte de s'emmitoufler dans un manteau Burberry et de siroter un chocolat chaud sur l'un des bancs qui longeaient les murs de pierres austères autour de Central Park. Elle avait hâte d'être à demain, d'entrer à Constance Billard, l'école pour fille ultra-sélect de Manhattan, et sa vie commencerait *enfin*.

Elle tourna sur Madison, marqua une pause devant les grandes vitrines de la boutique Calvin Klein à l'angle de la 62e Rue pour apprécier son reflet. Avec ses longs cheveux blond blé enveloppés dans un foulard Pucci imprimé et une robe portefeuille Diane von Furstenberg rose à pivoines sans manches qui moulait sa silhouette d'athlète, on aurait dit n'importe quelle résidente de l'Upper East Side sortie se balader. À Nantucket, où la polaire était les vêtements que l'on mettait pour faire la fête et où une fiesta consistait à boire un pack de six bières sur la plage de

Sconset, Avery ne s'était jamais sentie dans son élément. Mais cette année, tout serait différent. Enfin, elle était à sa place.

La jeune fille s'arracha à la vitrine et continua à descendre Madison. Juste après la 61e Rue, elle arriva devant chez Barneys et sourit d'un air triomphant quand le portier classe vêtu de noir lui ouvrit. Elle respira un bon coup en entrant, frappée par l'odeur douloureusement familière de Creed Fleurissimo et par la climatisation. C'était le parfum préféré de sa grand-mère, et Avery sentit pratiquement l'esprit de Mme Carlyle mère la faire s'éloigner d'un sac Marc Jacobs vert pomme géant avant de la faire se diriger vers les *vrais* sacs de créateurs.

La jeune fille traversa le rayon sacs à main de luxe, toucha avec révérence la peau de crocodile et les cuirs doux. Ses yeux se posèrent sur une sacoche Givenchy couleur cognac et elle fut tout en émoi. Ses boucles or lui rappelaient le coffre antique qu'elle avait laissé à Nantucket. Elle avait toujours imaginé qu'une vieille grand-tante de sang bleu avait perdu le coffre dans l'Atlantique quand son bateau avait sombré lors de sa lune de miel pour qu'un langoustier barbu le récupère des années après sa mort romantique. Avery avait tendance à rendre les choses bien plus romantiques qu'elles ne l'étaient en réalité.

Eh bien, c'est beaucoup mieux que sucer ton pouce et te ronger les ongles.

— Une pièce exquise.

Avery entendit une voix mielleuse derrière son épaule. Elle se retourna et avisa la vendeuse derrière elle. Elle avait quarante ans passés et des cheveux parsemés de gris attachés en chignon soigné.

— Magnifique, acquiesça Avery, souhaitant que la vendeuse disparaisse.

Elle voulait que ce moment soit pur : un moment entre le sac et elle.

Et le langoustier imaginaire ?

— Édition limitée, observa la vendeuse. (Son badge nominatif disait NATALIE.) En fait, il a été réservé, mais nous n'avons plus jamais eu de nouvelles de l'acheteuse… Seriez-vous intéressée ?

Natalie arqua ses sourcils parfaitement épilés.

Avery, hypnotisée, opina. Elle jeta un coup d'œil au prix : quatre mille dollars. Mais elle n'avait pas vraiment acheté grand-chose depuis son arrivée à New York, et n'était-ce pas à cela que servait Alan, le nouveau comptable de sa mère ? De plus, comme grand-mère Avery le lui avait autrefois rappelé quand elle admirait un sac Kelly d'Hermès *vintage* dans sa collection étendue qui portait le même nom qu'elle : *Les sacs à main ne meurent jamais. Les hommes, si.* Ce sac durerait éternellement.

— Je le prends, déclara-t-elle d'un ton assuré, ses ongles rose pétale tout juste manucurés prêts à s'emparer des lanières de cuir souples.

— Oh, vous voilà !

Avery et Natalie se retournèrent à l'unisson : une fille élancée aux cheveux auburn tombant en cascade et au teint parsemé de taches de rousseur traversait le sol de marbre d'un pas majestueux. Avery marqua une pause, hypnotisée. Même en robe bain de soleil Milly blanche voletant et maxi lunettes de soleil D&G perchées sur la tête, la fille avait tout de la ballerine du tableau de Degas accroché dans la bibliothèque de grand-mère Avery.

— Je suis venue chercher mon sac. Désolée, je n'ai pas eu vos messages. J'étais à Sagaponack. Mon portable reçoit super mal là-bas.

Elle poussa un profond soupir comme si mal capter dans les Hamptons était un handicap monumental.

— Merci encore de l'avoir gardé.

La fille prit la sacoche des mains d'Avery comme si le boulot de celle-ci avait été de le lui garder. Avery plissa les yeux en maintenant fermement son étreinte sur le sac.

— Vous devez être Jack Laurent, dit Natalie en serrant les lèvres en ligne étroite en se tournant vers la fille. Malheureusement, comme nous avons une politique de mise en vente et que quelqu'un est intéressé, je crains de devoir vous remettre sur liste d'attente.

Avery, tout étourdie, gratifia la fille d'un sourire signifiant « Dommage ». Personne à Constance Billard ne pourrait raisonnablement avoir ce sac, qui avait d'autant plus de valeur maintenant qu'elle constatait qu'il était très convoité. Avery tira sur la poignée, mais la fille ne fit aucun effort pour lâcher prise.

— Je comprends pourquoi tu as besoin d'un nouveau sac, railla Jack en jetant un œil entendu sur le sac Speedy de Louis Vuitton usé d'Avery. (C'était le cadeau d'anniversaire de sa grand-mère pour ses treize ans, et il était *très aimé*, comme aurait dit grand-mère Avery.) Il y en a dehors qui devraient t'intéresser.

Avery regarda la fille en plissant ses yeux bleus et agrippa la lanière du sac cognac. *Dehors ?* Du genre, les vulgaires imitations que l'on vendait dans la rue ? Elle en resta sans voix.

— Maintenant que c'est réglé, poursuivit Jack en resserrant son étreinte sur le sac Givenchy, pourrions-nous s'il vous plaît, nous occuper de cela ? ordonna-t-elle à Natalie, hautaine.

Ses yeux verts lançaient des éclairs.

Natalie se releva sur tout son mètre soixante. Elle se planta de façon comique entre les deux filles qui s'affrontaient du regard, dix centimètres au-dessus de sa tête.

— C'est le seul que nous ayons, commença-t-elle, autoritaire.

C'est une édition limitée, il est plutôt fragile, je suis sûre que vous arriverez à vous arranger.

Elle essaya d'enlever leurs doigts de force des poignets de cuir du sac.

— Je ne crois pas que ce sera nécessaire, répondit Avery en tirant le sac d'un coup sec, ce qui surprit Jack.

Elle trébucha et lâcha prise. *Bien fait pour toi, pétasse*, songea Avery, en souriant d'un air narquois.

Avant que Jack ne retrouve l'équilibre, Avery traversa à grandes enjambées le sol de marbre de Barneys en serrant la sacoche contre sa poitrine, protectrice, comme un footballeur qui court vers la zone de but. Elle était arrivée la première et elle s'en irait la première avec le sac qui lui revenait légitimement. Dix mètres à peine la séparaient de la sortie. Incapable de s'en empêcher, elle se retourna pour fusiller Jack du regard, victorieuse. C'était l'équivalent Carlyle d'un touché en but. Le visage pâle et parsemé de taches de rousseur de la fille était vidé de son bronzage parfait et ses yeux verts semblaient plus confus qu'en colère. Avery, grisée, se fendit d'un grand sourire. Mais un bourdonnement soudain et insupportable retentit à côté d'elle. Elle regarda à droite à gauche, ennuyée, mais ne vit pas d'où provenait ce bourdonnement. Sans hésiter, elle continua à avancer, sentant la victoire monter en elle.

— Pardon, mademoiselle ?

Un grand gaillard de vigile surgit devant elle. Son badge disait « KNOWLEDGE ». Avery leva les yeux, confuse. Elle tâcha de l'esquiver, mais il planta sa corpulence devant elle sans problème.

Ce n'est pas la première à vouloir s'enfuir de chez Barneys !

— Donnez-moi le sac, jeune fille, et tout ira bien, dit gentiment et calmement Knowledge en tenant le bras mince d'Avery sans le lâcher.

Elle sentit ses bagues en or laisser une empreinte sur sa peau bronzée.

— J'allais le payer, insista-t-elle en tâchant de ne pas avoir l'air désespérée.

Sans rien dire, elle lui donna le sac et ses yeux bleus s'écarquillèrent alors, sous le choc. Croyaient-ils vraiment qu'elle essayait de le voler?

Natalie les rejoignit et enleva d'un geste rapide la sacoche des mains de Knowledge. Avery sentit des taches rouges commencer à se former sur sa poitrine et son visage, ce qui se produisait toujours quand elle était bouleversée, signe avant-coureur des larmes.

« Je crois vraiment qu'il devrait y avoir une limite d'âge pour certains étages, vous ne croyez pas? »

Avery entendit une dame aux cheveux blancs dire cela à voix haute à une amie aux cheveux roux trop ébouriffés en robe T-shirt Norma Kamali impression léopard. Elle eut brusquement l'impression d'avoir cinq ans.

— J'allais le payer, répéta-t-elle haut et fort. La caisse n'est pas bien indiquée.

Elle avait envie de rentrer sous terre. La *caisse*? On aurait dit qu'elle avait pris un mauvais virage chez Target.

Elle secoua la tête, tâchant d'avoir l'air extrêmement irritée et passa la main dans son propre sac à main monogrammé L.V. Elle sortirait son AmEx noire flambant neuve de son porte-monnaie Gucci à rayures vert et rouge, puis tout le monde verrait que ce n'était qu'une malheureuse erreur, s'excuserait et lui offrirait des tas d'échantillons pour le désagrément.

— Heureusement, la sortie est *bien* indiquée, rétorqua Natalie d'un ton glacial. (Tout cela lui plaisait, réalisa Avery. Elle baissa la voix.) Ne vous inquiétez pas. Nous n'appellerons pas vos parents.

Et sur quoi, Natalie virevolta dans ses chaussures Prada noires et partit rejoindre Jack qui attendait, un sourire narquois glacial sur son visage tellement parsemé de taches de son que c'en était agaçant.

— Il fallait absolument que je *l'aie* pour la rentrée, roucoula Jack d'un ton théâtral.

Elle prit le sac dans ses mains et l'examina comme pour s'assurer qu'Avery ne l'avait pas sali avec ses doigts poisseux.

— Votre virée shopping est terminée, ma belle.

La douce voix de Knowlegde interrompit son affreuse rêverie, quand deux autres vigiles l'escortèrent vers une entrée latérale sur la 61e Rue.

La porte se referma dans un bruit sourd.

Le visage d'Avery était cramoisi. Elle s'attendait à moitié à être poursuivie par une foule de Barneys en colère quand elle décampa, mais deux femmes d'une trentaine d'années passèrent devant elle en poussant des poussettes Bugaboo noires semblables à des chars en papotant sur des écoles maternelles. Des portiers aux gants blancs étaient campés devant des rangées d'immeubles luxueux. Un bus rouge à deux étages se dirigeait vers Central Park. Avery sentit ses pulsations ralentir. Personne ne savait qui elle était, ni ce qui venait de se passer. Elle réajusta son foulard et traversa la rue, la tête haute. Ce n'était pas Nantucket où tout était répété à l'infini. C'était New York, une ville de plus de huit millions d'habitants, où elle pouvait faire tout ce qu'elle voulait, être qui elle voulait. Elle n'avait pas eu le sac Givenchy, et alors? Elle avait encore les nouvelles sandales Louboutin en cuir verni achetées la veille et les perles porte-bonheur de grand-mère Avery. Elle pourrait sûrement retourner chez Barneys demain, personne ne la reconnaîtrait.

Quand elle traversa la 5e, un type mignon en T-shirt gris de

Riverside Prep et casquette des Yankees passa à côté d'elle en trottant et lui sourit. Elle lui rendit largement son sourire, battit de ses cils soigneusement mascara-isés. Demain, Avery Carlyle entamerait une toute nouvelle vie dans sa toute nouvelle école et Jack Laurent ne serait plus qu'un souvenir lointain – une pétasse de diva qui lui avait piqué son sac à main et dont elle n'entendrait plus jamais parler.

Peut-être. Le fait est que New York est une grosse ville, mais Manhattan, une toute petite île...

on dirait le début d'une belle amitié

Owen Carlyle se tenait devant un hôtel particulier en brique rouge imposant entre Park et Madison et appuya avec hésitation sur la sonnette marquée « Sterling ». Il avait reçu un e-mail la semaine dernière selon lequel il était censé récupérer tout son attirail de natation chez Rhys Sterling, le capitaine de l'équipe de St. Jude's, mais il était tout de même gêné de passer sans prévenir. Il avait l'impression de sonner aux portes le jour d'Halloween pour demander des bonbons.

Pas besoin que ce soit Halloween pour lui ouvrir notre porte !

Il sonna de nouveau. De jolies fleurs bleues sortaient de boîtes en verre blanc de part et d'autre de l'entrée. Il se pencha nonchalamment pour en sentir une, pensant à une certaine fille à qui il voulait offrir des fleurs. Quand Owen humait la douce odeur, la porte s'ouvrit d'un coup sur une femme en robe de lin bleu marine, aux cheveux d'une blancheur saisissante, bien que son visage fût complètement dépourvu de rides. Elle ressemblait plus ou moins à une Nicole Kidman en perruque blanche.

— Bonjour, annonça-t-elle avec un accent britannique guindé en entrouvrant la porte et en regardant Owen d'un air interrogateur sous son nez en forme de tremplin de ski. Puis-je vous aider ?

— Bonjour. Euh oui, Owen Carlyle ? Je suis venu voir Rhys. Je viens d'intégrer l'équipe de natation et je voudrais récupérer mes affaires, commença-t-il, mal à l'aise.

Il espérait ne pas s'être trompé d'adresse.

Le visage de la femme se fendit d'un sourire chaleureux.

— Owen Carlyle ! Bien sûr, je connaissais très bien votre grand-mère ! Quelle femme merveilleusement exceptionnelle ! (Elle poussa Owen dans l'entrée spacieuse. Le garçon jouait, gêné, avec la fleur bleue qu'il avait prise dehors.) Vous savez qu'elle est passée quelques fois dans l'émission ?

Owen fronça les sourcils de confusion. Devant lui se dressait un grand escalier majestueux moquetté de rouge en spirale, comme celui de *Sunset Boulevard*, l'un des films préférés d'Avery. Il ne savait pas du tout de quoi il parlait, mais sa sœur avait dû le regarder quatre cents fois.

— *Thé chez lady Sterling*, dit la femme d'un ton sévère, comme si elle le corrigeait. Thé chez *moi*, clarifia-t-elle.

Owen ne voyait toujours pas de quoi elle parlait. Il regardait rarement la télé et quand c'était le cas, il mettait un point d'honneur à zapper les émissions dont le titre comportait le mot « *thé* ».

— Enchanté, fit Owen en tendant la main, mal à l'aise.

Les murs de l'entrée étaient peints d'une couleur taupe apaisante et tapissés de vieilles scènes anglaises de chasse au renard. D'un seul coup, un type très BCBG en pantalon beige bien repassé et chemisette bleue boutonnée impeccable descendit l'escalier moquetté de rouge en faisant des bonds. On aurait dit qu'il partait jouer au golf. Owen fourra ses mains dans les poches de son short Adidas miteux et voûta les épaules dans son T-shirt gris fin Nantucket Pirates.

— Rhys ! Tu as un invité ! (Lady Sterling gratifia les garçons d'un sourire affectueux.) C'est Owen Carlyle. Owen, chéri, veuillez dire à votre mère que je serais ravie de la voir. Nous ne nous sommes rencontrées qu'une fois, dans une soirée de bienfaisance, et vous savez ce que c'est, roucoula-t-elle en descendant le couloir en claquant des talons.

— Enchanté, *man*! fit Rhys avant de serrer fermement la main d'Owen.

Il était un tout peu plus petit que le mètre quatre-vingt-dix d'Owen et avait des cheveux châtain foncé et des yeux noisette mouchetés d'or. Il ouvrit un placard d'où il sortit un sac de natation Speedo bordeaux.

— Tiens, c'est pour toi.

— Merci, *man*.

Owen y trouva six barres énergétiques, une serviette bordeaux à l'effigie de St. Jude's et trois minuscules slips de bain Speedo noirs. Il en porta un à ses hanches, mal à l'aise. Il devait être cinq fois trop petit.

— Bien, c'est cool de te rencontrer.

Owen rangea le maillot de bain dans le sac et tourna les talons.

— Attends! lui cria Rhys. Tu es pris cet après-midi? Tu veux aller bruncher? C'est super bon chez Fred! C'est au dernier étage de Barneys.

— Non! répondit rapidement Owen, un pied déjà dehors.

La dernière chose qu'il souhaitait était de tomber sur Avery en pleine urgence mode.

Rhys eut l'air abattu.

Owen secoua la tête.

— Et si on prenait des bagels à la place? Si on allait au parc? proposa-t-il maladroitement.

Malgré la bande de filles qui le suivait partout, Owen n'avait jamais eu de véritable ami. En fait, c'était justement *à cause* de la bande de filles qui le suivait partout. Les garçons à NHS, Nantucket High School, avaient toujours été jaloux de la beauté et de l'assurance tranquille d'Owen, et savaient qu'ils n'avaient pas la moindre chance de séduire une fille en sa présence. Celui-ci essayait de s'en moquer et il ne se sentait pas seul ni rien, mais bon, ce n'était pas de *sa* faute s'il était un aimant à gonzesses.

Ce n'est pas facile d'être beau.

— Ça me va, opina Rhys.

Il chaussa ses Ray Ban et ils sortirent de l'hôtel particulier en direction du parc. Ils s'arrêtèrent en route chez le traiteur pour acheter des bagels et des bières.

Le petit déjeuner des champions !

Ils traversèrent Madison puis la 5e et quand ils pénétrèrent dans le parc, Rhys les guida à travers plusieurs chemins sinueux de plus en plus loin à l'ouest. Enfin, ils s'arrêtèrent devant une espèce de structure de pierre en forme de château qui trônait royalement derrière un petit bassin. Haut de trois étages, il ressemblait à une forteresse médiévale.

— C'est l'un de mes endroits préférés en ville, déclara Rhys. Belvedere Castle. Quand j'étais petit, je croyais que le château était réel et je voulais y habiter. Ma mère a sa propre émission TV *Thé chez lady Sterling*?

Il regarda Owen d'un air interrogateur.

— Ouais, elle m'en a parlé, répondit Owen en donnant un coup de pied dans un caillou.

Des filles en bikini Malia Mills bronzaient dans un grand champ, comme si elles étaient dans les Hamptons, et des garçons défoncés jouaient à Hacky Sack ou au frisbee. C'était plutôt triste : les New-Yorkais étaient en tel manque de verdure qu'ils faisaient comme si le moindre coin d'herbe était la plage.

— Comme elle est anglaise, je me suis dit que nous devrions avoir notre propre château.

Rhys, piteux, haussa les épaules.

Owen rit et s'installa sur le rocher tandis que Rhys ouvrait d'un coup une bouteille d'un litre huit de bière Olde English en veillant bien à la cacher dans un sac en papier. Il passa le sac marron à Owen. Celui-ci but une gorgée et contempla les environs. Le bassin était jonché de feuilles mortes et d'écume verdâtre, mais une rangée interminable de filles au bronzage parfait de fin d'été pique-niquaient sur l'herbe à côté de l'imposant château de pierre. En dépit de la bande de filles en hauts de bikini lâchement attachés, Owen se surprit à chercher un éclair de cheveux couleur caramel dur au beurre. Il soupira de frustration.

Ces derniers mois, où qu'il se trouve, il avait été incapable de penser à autre chose qu'à Kat, la fille avec qui il avait couché lors d'un feu de joie à Surfside Beach au début de l'été. Il avait remarqué l'adolescente aux formes généreuses, aux yeux bleus dansants et aux cheveux de la même couleur que Chance, leur golden retriever, et avait été incapable de détacher son regard du sien. Quand elle s'était approchée de lui pour lui demander de l'aider à ouvrir sa Corona Light, il était tombé pratiquement amoureux. Et, quelques minutes plus tard, quand elle lui avait demandé s'il voulait bien lui montrer le phare, ils surent tous les deux ce qu'ils voulaient faire. Là, dans le sable, dans l'obscurité, ils perdirent leur virginité ensemble. Ce fut la chose la plus folle, la plus irresponsable et la plus géniale qu'Owen n'avait jamais faite.

— Comment t'appelles-tu ? demanda-t-il après coup, en caressant la courbe de son épaule du bout des doigts. Il avait eu l'impression d'être un gros con. D'accord, c'était un tombeur, mais la perdre avec une fille dont il ne connaissait même pas le nom était trop, même pour lui.

— Voilà un indice, dit-elle en sortant un bracelet en argent fin qui disait KAT en lettres rondes soignées.

Ils passèrent le reste de la nuit à faire les fous sur la plage et à courir dans l'eau dès lors qu'ils transpiraient trop. Elle était de New York, juste de passage à Nantucket pour la journée, dit-elle, et savoir qu'elle serait partie le lendemain rendit cela encore plus exceptionnel, comme si c'était sa dernière nuit sur terre. Le lendemain matin, Owen s'était réveillé seul sur la plage. Peut-être avait-ce été un rêve, mais il avait le bracelet en argent qui faisait office de preuve. Il le sortit de son short cargo et passa le pouce sur les rainures inégales dessus. Il le porta à son nez pour voir s'il pourrait la sentir.

— Qu'est-ce que c'est? demanda Rhys, curieux, en tirant brusquement Owen de sa rêverie.

— Juste… un porte-bonheur, mentit Owen.

Il s'empressa de ranger le bracelet dans la poche de son short Adidas. Il voulait demander à Rhys s'il connaissait Kat, mais il y avait des millions de personnes en ville et il ne tenait pas à passer pour une espèce d'abruti malade d'amour.

Trop tard.

— Oh, dit Rhys, qui se désintéressa. Alors, Nantucket? Comment c'était?

— Cool. Petit.

Pas moyen qu'il avoue à la première personne qu'il rencontrait à Manhattan que tous les types de Nantucket High l'avaient mis en quarantaine car c'était un tombeur. Il sirota une nouvelle gorgée de bière. Les bulles chatouillèrent sa gorge et le soleil lui donna envie de dormir.

— C'est tout petit ici aussi, rétorqua Rhys. Je vais dans la même école avec les mêmes mecs depuis le jardin d'enfants.

Owen observa deux filles aux taches de rousseur passer devant eux, dont les sacs de courses se balançaient en chœur. Il ne parvenait pas à croire qu'il allait passer le reste de l'année scolaire entouré de garçons. Qu'allait-il donc regarder?

— Alors qu'est-ce que ça fait de ne pas avoir de filles dans ton école?

Rhys plissa ses yeux tachetés d'or comme s'il n'y avait jamais vraiment réfléchi.

— Rien. Ma petite amie va à Seaton Arms, juste en bas de la rue, du coup, ce n'est pas comme s'il n'y avait que des garçons tout le temps.

Owen poussa un soupir de soulagement. Il s'étira sur la couverture, sentit le soleil le réchauffer à travers son T-shirt gris fin. Un joggeur courait en Day-Glo Lycra moulant.

— Donc, l'une des choses que je suis censé faire en tant que capitaine, c'est donner au coach des temps informels de fin d'été, expliqua Rhys, brisant le silence. Comme je n'en ai pas de toi, faisons la course dans le bassin et j'évaluerai ton temps en fonction du mien.

— Ici? demanda Owen, sceptique, en se levant.

— Pourquoi pas?

Rhys se releva sur le rocher en faisant signe à Owen de se mettre debout à côté de lui. Il ôta sa chemise et révéla des abdos musclés et des épaules carrées de nageur. Owen haussa les épaules et ôta son T-shirt à son tour. Deux filles qui feuilletaient un *Vogue* français sur un banc à côté levèrent les yeux par-dessus leur magazine.

Ouh ouh?

— Prêt? Partez!

Owen plongea sans la moindre hésitation dans le bassin boueux. Il chassa les algues d'un coup de pied et se mit à faire de la nage libre, effrayant les canards sur son chemin. Il fendit l'eau dans un grand mouvement des bras parfait, son instinct de compétition prenant le dessus.

Il arriva à l'autre bout de l'étang nauséabond en soufflant fort quand il posa les pieds sur le fond détrempé et boueux. Entre ses orteils, on aurait dit de la bouillie d'avoine vieille de plusieurs semaines. De la crasse graisseuse restait collée à ses bras. De l'autre côté de l'étang, Rhys, debout sur le rocher, buvait dans le sac en papier et riait. Owen plissa les yeux. C'était quoi, ce bordel ? Les deux filles sur le banc pouffèrent.

— Hé mec, tu es ultra rapide, putain ! hurla Rhys avec bonhomie en contournant l'étang pour le rejoindre.

Un gardien du parc en uniforme vert surgit derrière le château en criant.

— Interdiction de nager ici ! hurla-t-il d'une voix perçante en fonçant vers Owen avec un râteau.

Oubliant son T-shirt et ses chaussures, Owen s'enfuit en piquant un sprint. Rhys le rattrapa sur un chemin sinueux qui sortait du parc. Une fois parvenus à la sortie, ils s'arrêtèrent, pliés en deux de rire. Owen attrapa la bouteille encore ouverte dans la main de Rhys. Peut-être que vivre à NYC ne serait pas si nul, après tout. Un pote cool, des filles canon, et une compétition de natation féroce – que pourrait-il désirer de plus ?

Hé, nous sommes à Manhattan. On en veut toujours plus.

voulez-vous coucher avec *j* ?

Jack Laurent rangea ses chaussures de pointe dans son sac de danse rose de l'École de Ballet américain et ignora les autres danseuses qui buvaient des eaux vitaminées et flirtaient avec les bizuths de Fordham, agglutinés autour de la fontaine devant Lincoln Center. Cette année, Jack était inscrite au prestigieux programme de formation durant lequel elle suivrait plusieurs cours par jour dans l'espoir d'être sélectionnée pour danser avec la compagnie. Elle dansait depuis qu'elle était toute petite, et cela lui était aussi inné que respirer. Mais aujourd'hui, elle avait eu une demi-seconde de retard sur la musique. Pour la première fois, le ballet lui avait paru difficile et aucun de ses faux pas n'avait échappé à Mikhail Turneyev, le directeur de la formation.

Quand elle traversa l'immense place en marbre, elle remarqua une tache de sang provenant d'une ampoule qui maculait les ballerines Lanvin en daim bleu pastel qu'elle avait achetées chez Barneys pas plus tard que ce matin.

— *Merde*, murmura-t-elle.

Furieuse, elle enleva ses chaussures et les jeta dans une poubelle. *Bing !*

Le malheur des uns fait le bonheur des autres.

Elle glissa ses pieds dans les tongs J. Crew bleu délavé qu'elle gardait dans son sac pour ses pédicures et s'assit sur l'un des bancs de pierres bas qui flanquaient le bassin en face du Vivian Beaumont Theatre. Elle jeta un coup d'œil à son Treo et constata que son père l'avait appelée trois fois quand elle était en cours. Elle avait consenti à déjeuner avec lui deux fois par mois au Cirque, où il l'interrogerait sur l'école et la danse et ferait semblant de s'intéresser à ses réponses mais, en règle générale, ils ne s'appelaient jamais pour bavarder. Il ne savait même pas qu'elle avait quitté l'École de Danse de l'Opéra de Paris plus tôt que prévu et qu'elle n'avait pas l'intention d'y retourner.

Jack était la progéniture accidentelle de Vivienne Restoin, célèbre danseuse étoile française, et de Charles Laurent, ancien ambassadeur américain en France, âgé d'une soixantaine d'années. Vivienne tomba enceinte quand elle avait vingt et un ans, et comme elle prenait un malin plaisir à le rappeler à Jack, elle avait sacrifié son corps de danseuse – et sa carrière – pour sa fille unique. Ils avaient quitté Paris en formant encore une famille quand Jack n'avait qu'un an, mais ses parents avaient divorcé après avoir passé quelques années à New York ensemble. Son père s'était remarié par la suite – plusieurs fois – et vivait désormais dans un hôtel particulier avec sa nouvelle épouse et sa marmaille de demi-frères et sœurs dans West Village. Jack sortit un paquet de Merit Ultra Lights, en alluma une et expira dans un soupir théâtral.

— Je croyais que tu arrêtais cette année.

Jack se retourna d'un coup pour voir son petit ami, J.P. Cashman, avancer tranquillement vers elle. Il portait un short kaki et une chemise Brooks Brother rose impeccable. Il tenait à la main un exemplaire écorné d'*Une vérité qui dérange*[1]. Il venait de rentrer

1. Ouvrage de l'ancien vice-président Al Gore sur le réchauffement climatique devenu une véritable urgence planétaire. (N.d.T.)

d'une expédition au pôle Sud avec son père, magnat de l'immobilier, qui essayait d'éviter un tas de mauvaises publicités en se faisant le champion de l'environnement. Jack s'empressa d'écraser la cigarette avec le talon de sa tong. J.P. ne supportait pas qu'elle fume et elle tâchait généralement de diminuer sa consommation en sa présence, mais comment était-elle censée savoir qu'il lui ferait la surprise de passer la prendre après les cours? Et ne méritait-elle pas un tout petit break quand c'était techniquement encore l'été?

— Salut, beauté!

J.P. l'attira vers elle et elle étreignit son dos musclé quand ils s'embrassèrent. Il sentait le bonbon au gingembre. Il posa la main sur sa hanche plus grassouillette que d'habitude.

Quand elle suivait les cours de l'Opéra de Paris, elle était devenue accro aux pains au chocolat de la boulangerie en bas de la rue de son dortoir.

— Tu veux aller déjeuner quelque part? demanda J.P. en passant un bras autour de sa taille.

Elle se raidit à son contact : elle avait l'impression d'être une saucisse hyper dodue moulée dans un justaucorps rose.

Passer d'un 36 à un 40 est *tellement* tragique.

— Tant qu'on ne mange pas, acquiesça Jack en se collant à son petit copain.

Ils descendirent Broadway main dans la main en direction de Columbus Circle. Les rues étaient bondées de familles qui profitaient du dernier week-end de l'été, et il faisait lourd et chaud.

— Donc, commença J.P. en épaulant, galant, le sac de Jack, après l'expédition, j'ai pu entrer en contact avec ce professeur de Columbia qui travaille sur la durabilité et…

— J.P., l'interrompit Jack. Tu ne m'as pas dit que j'étais jolie?

Elle savait que n'importe qui l'aurait trouvée pathétique, mais

J.P. lui disait systématiquement qu'elle était jolie quand il la voyait. C'était toujours la première chose qui sortait de sa bouche et ce que Jack préférait chez lui.

Vous avez dit autocentrée?

— Si, je l'ai fait. J'ai dit « Salut, beauté! » C'est la même chose, répondit-il en la regardant à peine en lui ouvrant la porte en verre étincelante du Time Warner Center.

Vrai, raisonna Jack. Elle détestait exiger un compliment, mais depuis qu'elle s'était fait virer du programme de l'Opéra de Paris pour avoir bu du muscadet seule dans sa chambre, elle se sentait mal. Elle était rentrée plus tôt et avait passé les deux dernières semaines dans la propriété tentaculaire de Geneviève de Maiden Lane dans les Hamptons. Boire des gins-citron vert sur la plage n'avait pas été une mauvaise façon de terminer l'été, mais ne pas être synchro pendant les cours ce matin avait ravivé le souvenir de sa honte à Paris, et lui avait laissé les nerfs à fleur de peau.

Ils empruntèrent l'escalator pour le Bouchon Bakery, le bistro décontracté du troisième étage, et s'assirent à une table qui surplombait Columbus Circle. Des voitures étaient coincées dans les embouteillages et des touristes flânaient autour de la fontaine au centre. Maintenant qu'elle avait retrouvé J.P., la jeune fille sentait la confiance revenir en elle. Elle devrait manger des salades pendant quelques semaines et passer quelques heures de plus par semaine au studio, et alors? Qu'est-ce que cela pouvait faire? Le garçon le plus en vue de New York l'aimait, *elle*. Ils étaient destinés à se marier, à vivre dans l'un des immeubles luxueux de son père et à prendre de fabuleuses vacances pour se reposer de leurs vies tout aussi fabuleuses. Et, entre-temps, peut-être que cette année serait l'année où ils le feraient enfin. *Le* feraient.

C'est un moyen comme un autre de brûler des calories.

La musique de la suite de *Casse-Noisette* de Tchaïkovski résonna dans le sac de danse rose de Jack. Elle sortit son téléphone et regarda l'écran. Encore son père. Elle grimaça et appuya sur ignorer.

— Qui est-ce? demanda J.P. en mordant dans le sandwich au fromage grillé qu'un serveur maigre portant un bouc venait de déposer sur la table.

Jack sentit son estomac gargouiller.

— Charles, répondit-elle en haussant les épaules et en prenant une frite dans son assiette.

Une frite ne la tuerait pas.

— Quand lui as-tu parlé pour la dernière fois? s'enquit J.P. en fronçant les sourcils.

Jack fronça son nez parsemé de taches de son. Comme J.P. était proche de son propre père et avait entrepris avec lui une foutue expédition père-fils dans l'Antarctique tout l'été, il supposait que tout le monde devrait avoir le même type de relation joviale inter-générationnelle. J.P. était positif en permanence, ce que Jack adorait, parce que cela équilibrait sa tendance à péter un câble si jamais l'on comprenait mal sa commande au Starbucks. En ce moment, en revanche, elle souhaitait que son enthousiasme soit dirigé vers *elle*. Ils pourraient commencer par s'installer dans l'un des luxueux sièges en cuir de la salle de home cinéma de l'appartement des Cashman, où ils regarderaient *Les Parapluies de Cherbourg* ou un autre film français ridicule et ôteraient un vêtement chaque fois qu'un acteur allumait une nouvelle cigarette.

Elle prit une autre frite. Rien que de penser aux mains de J.P. sur son corps lui donnait faim.

Hum. Ne veut-elle pas plutôt dire, *l'excitait*?

— Barrons-nous, murmura-t-elle par-dessus la table en passant les doigts sur sa cuisse bronzée, ravie de voir ses yeux noisette s'ouvrir en grand d'excitation.

L'addition, s'il vous plaît!

la soirée enchantée de r... ou pas

Rhys plongea dans la piscine de vingt-cinq mètres au rez-de-chaussée de l'hôtel particulier de ses parents sur la 84e, entre Madison et Park. Il propulsa son corps dans l'eau bleue, qu'il fendit avec ses bras musclés dans la tentative désespérée de dessaouler après un après-midi passé à boire avec ce nouveau, Owen Carlyle.

N'est-on pas supposé *boire* de l'eau pour dessaouler ?

Rhys eut un léger mal de mer quand il s'arrêta pour marquer une pause à l'autre bout de la piscine. Cela n'aidait pas que la piscine soit décorée de carreaux artistiques d'Italiens distrayants peints à la main qui représentaient une étoile de mer, du varech et une pieuvre. Il avait l'impression de couler dans une sorte de peinture aux doigts, réalisée par un enfant de cinq ans mentalement attardé.

Il jeta un œil à l'immense horloge anti-buée au-dessus des portes en teck qui séparaient la piscine du reste du centre de fitness du rez-de-chaussée. 19 h 35. Sa petite amie, Kelsey, était censée venir à 20 heures, et ils ne s'étaient pas vus depuis le mois de juin. Il avait passé l'été en Europe, avait visité la propriété irlandaise qui était dans la famille de son père depuis des générations et passé le plus clair de son temps dans le pub du coin avec ses cousins ou à se rendre à Londres en jet privé pour assister à des matches de foot. Kelsey se trouvait dans sa maison d'Orleans au Cap. Ils s'étaient parlé au téléphone, mais moins fréquemment que Rhys l'aurait souhaité. Entre leurs emplois du temps respectifs et le décalage horaire, ils n'arrêtaient pas de se manquer – elle appelait toujours quand il dormait ; il appelait toujours quand elle était à la plage, allait dîner ou n'était tout simplement pas *là*. Maintenant qu'ils avaient enfin la chance d'être ensemble, Rhys ne tenait pas à être ivre.

Il fourra la tête sous l'eau et entama une nage papillon rapide. Alors que ses bras musclés fendaient l'eau, il prit un rythme et commença à se sentir mieux. Le papillon était sa nage préférée car elle était à la fois puissante et tendre. Il fallait travailler en même temps avec l'eau et contre l'eau. Elle lui avait toujours fait plus ou moins penser au sexe.

S'il savait…

Pendant tout l'été, Rhys avait pu penser à ce qui était sa promesse et celle de Kelsey de fin d'année : dès qu'ils se reverraient, ils feraient l'amour pour la première fois.

Feraient l'amour ? Oh, mon frère !

Ils se connaissent depuis qu'ils fréquentaient le même jardin d'enfants hyper classe de All Souls à Lexington. Même à l'époque, il lui avait demandé d'être sa Valentine, moment que Lady Sterling avait immortalisé sur bande et repassait tous les 14 février dans son émission. Ils se mirent à sortir sérieusement ensemble au début de la troisième et aujourd'hui, comme le jazz et le vin rouge, l'un n'allait pas sans l'autre.

Ce soir, il espérait plus ou moins ne rien avoir à dire. Ils seraient tellement excités de se revoir que… cela se passerait tout simplement.

— Il y a quelqu'un ? cria une voix dans l'air embué.

Rhys s'arrêta à mi-course, surpris de voir Kelsey sur le pas de porte. Elle était en avance. Elle était belle. Rien que le fait de voir le délicat bracelet de cheville Me&Ro en or qu'il lui avait offert pendiller à sa cheville bronzée lui donna l'impression d'exploser.

— Hé!

Kelsey avança vers la piscine, ses bras bronzés enveloppés autour de sa poitrine. Rhys se hissa sur le bord et la serra dans une immense étreinte. Ses cheveux sentaient la pomme.

— Rhys! Tu es tout mouillé! gloussa-t-elle.

Son visage se fendit d'un sourire ensoleillé qui dévoila des dents légèrement de travers.

— Désolé pour ça.

Il recula d'un pas, attrapa une serviette sur un banc et l'attacha juste en dessous de ses hanches minces.

— C'est bon, concéda Kelsey en fronçant son nez légèrement en trompette et en déposant un baiser délicat sur ses lèvres. Elle recula d'un pas et essora le bas de sa robe qui lui arrivait aux genoux.

— Comment vas-tu?

— Bien, murmura Rhys. Enfin, maintenant.

Ou du moins, très bientôt. Il avait mis deux bouteilles de champagne Cristal au frais dans sa chambre, qu'il avait piquées dans la grosse planque de son banquier de père. Et il savait que c'était ringard, mais il avait aussi acheté deux douzaines de roses Sterling chez le fleuriste en rentrant chez lui du parc.

Rien de tel que des cannettes de bière pour faire ressortir le côté romantique d'un garçon.

— Le premier arrivé en haut?

Elle arqua un sourcil d'un air suggestif comme si elle connaissait un délicieux secret. Rhys avait oublié combien son enthousiasme pouvait être contagieux. Il détestait ces filles qui feignaient d'être trop cool pour tout, et Kelsey était tout le contraire : tout, depuis *La Nuit étoilée* au musée d'Art moderne à un caramel Jacques Torres, la faisait sourire.

Kelsey gravit le large escalier en faisant des bonds jusqu'à l'étage principal de l'hôtel particulier des Sterling, construit avec de larges poutres en chêne qui lui donnaient plus l'aspect d'un manoir vieille Angleterre que d'un hôtel particulier de l'Upper East Side de Manhattan. Tous les meubles étaient massifs, foncés et utilitaires, récupérés dans divers châteaux dans toute l'Europe, ce qui le rendait mollement austère, même le jour.

Alors qu'ils montaient à toute allure l'escalier moquetté de rouge au milieu du séjour, Rhys ne parvenait pas à détacher ses yeux des chevilles athlétiques et parsemées de taches de rousseur de Kelsey et du froufrou tranquille de sa robe. Il récita une prière silencieuse pour que sa mère ne les entende pas. La dernière chose dont il avait besoin était de se lancer dans une conversation interminable sur les tendances ados qui feraient invariablement partie de sa rubrique consacrée à la rentrée scolaire dans *Thé chez lady Sterling*.

Tendance ado : perdre votre virginité sur un lit de pétales de roses achetées dans l'épicerie portoricaine sur la 79ᵉ et Madison.

Il battit Kelsey et se catapulta dans la chambre de sa suite au troisième étage. Il alluma rapidement les bougies Bond nᵒ 9 achetées pour l'occasion et programma Snow Patrol sur son iPod SoundDock. Il venait de baisser la lumière quand elle se faufila par la porte.

Couché mon garçon !

— Mon Dieu, pas étonnant que tu nages si bien ! Cet escalier est un entraînement à lui seul !

Kelsey poussa un soupir théâtral et feignit d'essuyer la sueur sur son front haut. Rhys opina, mais il était trop distrait pour sourire. En temps normal, il aimait son côté neuneu, mais là, il souhaitait qu'elle soit un peu plus sérieuse. Elle passa en revue la chambre faiblement éclairée.

— Que se passe-t-il?

Ses yeux bleus passaient rapidement du lit recouvert de pétales à son iPod SoundDock, puis aux bougies sur le rebord de fenêtre. Rhys s'empressa de tirer les rideaux pour obstruer le coucher de soleil. Cela lui sembla brusquement un peu trop niais d'essayer de passer une soirée romantique ensemble alors qu'il faisait encore jour dehors.

— Pourquoi tout cela?

— Tu m'as manqué.

Il passa les mains dans ses cheveux châtains encore mouillés puis les laissa retomber sur ses côtes, mal à l'aise, comme s'il ne savait pas qu'en faire. C'était bizarre de rester planté en maillot de bain alors que Kelsey était complètement habillée. Ça faisait sale, quelque part. Si seulement son cerveau n'était pas aussi embrumé et s'il ne s'était pas bourré la gueule avec le nouveau!

— Je veux te montrer combien je t'aime, poursuivit Rhys en l'attirant contre lui et en l'embrassant.

Quand ses lèvres effleurèrent les siennes, la réplique repassa dans sa tête. *Je veux te montrer combien je t'aime.* Était-ce complètement ringard? Il remarqua brusquement que l'eau de son maillot de bain formait une flaque par terre sur le sol en noyer. Il espérait qu'elle n'allait pas croire qu'il s'était fait pipi dessus.

Rien de plus sexy que des couches contre l'incontinence!

— C'est mignon. (Kelsey s'éloigna et s'assit sur le lit-bateau extra-large. Elle remonta ses genoux contre sa poitrine.) Tu te souviens quand on faisait des soirées pyjamas en CP et que ta mère venait toujours tirer les rideaux pour faire croire qu'il était minuit alors qu'il n'était que 6 heures?

— On en parlera plus tard, murmura Rhys en s'agenouillant à côté d'elle sur le lit.

Il embrassa doucement son omoplate nue en descendant légèrement la bretelle de sa robe sur son épaule. Le décor *était* peut-être un peu « too much », d'accord. C'était plutôt sympa avec le soleil qui entrait à flots. Kelsey lui adressa un sourire mystérieux et Rhys sentit son ventre faire volte-face. Il embrassa son omoplate puis son cou et enfin ses lèvres. Cela se passait. Cela se passait enfin.

Un coup fut bruyamment porté à la porte.

Rhys se recula légèrement, mais il sentait encore le souffle chaud de Kelsey sur sa joue.

— Oui? cria-t-il prudemment.

— Rhys, chéri, Kelsey est là? J'ai cru entendre sa voix.

C'était la voix stridente de Lady Sterling, mâtinée d'un léger accent anglais, même si elle est née et a été élevée à Greenwich, Connecticut, et non à Greenwich, Royaume-Uni. Rhys se demanda si elle savait ce qu'ils faisaient ou étaient sur le point de faire.

— Ouais, maman, marmonna-t-il en remontant la serviette autour de sa taille et en secouant la tête.

Sa mère adorait Kelsey. Heureusement, ce sentiment avait l'air réciproque. Si ce n'était pas le cas, Kelsey ne se plaignait jamais. C'était l'une des nombreuses choses qu'il aimait chez elle.

— Comme c'est charmant! (La voix de Lady Sterling grimpa d'une octave, dans son genre de comédienne bien à elle quand elle se trouvait devant les caméras.) J'adorerais vous voir tous les deux au solarium pour prendre le thé. J'ai hâte de connaître votre avis pour la rubrique consacrée à la rentrée scolaire de l'émission de demain, trilla-t-elle derrière la porte.

— Super, Lady S! cria Kelsey derrière la porte.

Elle défroissa sa robe bain de soleil et plaça ses cheveux ondulés couleur caramel dur au beurre derrière ses petites oreilles.

Lady Sterling s'éloigna dans un cliquetis de talons, de plus en plus doux à mesure qu'elle redescendait l'escalier.

— Nous devrions descendre, dit Rhys en haussant les épaules, impuissant. Je suis désolé. Tu m'en veux?

— Non, répondit Kelsey en se levant. C'est bon. Une autre fois. (Elle fila vers la fenêtre encastrée et éteignit une bougie.) Je vais divertir ta mère. Tu pourras nous retrouver quand tu te seras changé, ajouta-t-elle en l'embrassant sur le nez.

Rhys éteignit les bougies restantes et Kelsey ferma la porte de sa chambre. Était-ce lui ou n'avait-elle pas l'air plus bouleversé que ça par cette interruption? Il entra dans la salle de bains adjacente, fit couler l'eau et laissa la buée envahir la pièce. Peut-être était-ce dans sa tête. Il était *toujours* un peu bourré, après tout.

Peut-être. Mais on sait que l'on a des problèmes quand la salle de bains est plus embuée que la chambre.

 gossipgirl.net

Avertissement : tous les noms de lieux, personnes et événements ont été modifiés ou abrégés afin de protéger les innocents. En l'occurrence, moi.

Salut à tous !

Pour les moins chanceux d'entre vous, demain, c'est le jour J ou, devrais-je dire, le jour R : c'est la rentrée. Après un été passé à faire la fête jusqu'à 5 heures du matin et à dormir jusqu'à 16 heures, c'est l'heure de régler les réveils et de faire le cartable. Quand vous enfilerez votre nouveau cardigan TSE et attacherez vos Mary Janes Miu Miu en cuir verni si studieuses, n'oubliez pas : il ne s'agit pas *QUE* de bosser.

Après tout, dans l'Upper East Side, nous travaillons dur et nous éclatons dur. Voici une *vraie* liste de choses à faire pour le premier jour d'école :

1) Réservez un massage au Cornelia Day Resort sur la 53ᵉ et la 5ᵉ – se réveiller à l'aube pour se rendre à pied à l'école, c'est l'enfer après une nuit passée à danser au Hiro Ballroom.

2) Demandez à vos directeurs d'étude de se mettre en rangs ; les étudiants mignons en prépa de médecine de Columbia sont hyper demandés, alors ne tergiversez pas ! Il y a des tonnes de losers définitivement au chômage et tragiquement surdiplômés par ici, mais n'avez-vous pas envie de regarder quelqu'un de mignon ?

3) Soyez prêts à vous faire tirer le portrait – les photos candides pour l'annuaire de l'école sont toujours prises en automne,

et nous avons tous vu les vieux clichés que ressort le *True Hollywood Stories* de la chaîne de divertissements *E* ! Et ne sommes-nous pas tous destinés à devenir célèbres ?

Certains d'entre vous sont des vétérans, à présent, et vous avez vos indispensables annales déjà bien en main. Les terminales savent sûrement s'y prendre. Mais quant à vous, nouveaux lycéens, laissez-moi vous rafraîchir la mémoire : c'est l'année où l'on commence à s'intéresser à vous. C'est quand votre fausse carte d'identité n'a plus l'air aussi fausse, quand la fac n'est plus si loin et quand un vendredi de folie ne consiste plus à voler une bouteille de gin Bombay Sapphire à votre père et à regarder de vieux films. Il est temps de faire votre réputation. Simplement, ne faites pas savoir autour de vous que vous vous donnez du mal.

ON A VU :

A, aller à pied à Constance Billard dans la nuit, en uniforme, apprendre le chemin par cœur. Nous savons que tu es toute contente, mais quand même. **B**, prendre des photos déplacées d'elle sur la terrasse, avec son téléphone portable. Hum, ce n'est pas aussi privé que tu peux le croire là-haut. **O**, torse nu sur la 5e. Et Madison. Et dans mes rêves… **J.P.** avec son père sur le site du nouvel immeuble écolo de papa à Tribeca. À toi de jouer, Captain Planet ! **R**, jeter des pétales de rose par la fenêtre sur la 84e Rue. **J**, ranger son agenda *Elements of Calc* dans un sac Givenchy édition limitée qui, à ce que je sais, n'était plus disponible qu'en Europe. Y a-t-il quelque chose qu'elle n'ait *pas* ?

VOS E-MAILS :

Q: Chère GG,

Il paraît que maintenant ils effectuent des fouilles au corps chez Barneys car la meuf qui a aménagé dans l'ancien appartement des Waldorf est une espèce de grosse klepto en puissance. Apparemment elle essayait carrément d'arnaquer **J**. Sais-tu ce qu'il s'est passé ?
BARNEYBABE

R: Chère BB,

Nous savons tous que les filles peuvent toutes devenir voleuses et sournoises chez Barneys. Mais une nouvelle venue serait-elle assez culottée pour essayer de voler quelque chose et *en plus* se mettre **J** à dos ?
— GG

Q: Chère GG,

Je traînais à Central Park aujourd'hui quand j'ai vu ce trop beau gosse traverser le bassin aux canards à la nage. Je veux coucher avec lui, mais à ton avis, il y a des maladies bizarres dans l'eau ?
— Phobique des germes.

R: Chère PG,

Si tu tiens tant à coucher avec quelqu'un, imagine combien de personnes veulent aussi coucher avec lui. La concurrence m'inquiéterait plus que la mousse radioactive d'un étang.
— GG

Q: Chère GG,

Mes parents me forcent à fréquenter une école privée stupide non mixte, alors que je viens de rentrer d'un trekking d'un mois dans toute l'Europe, où les gens sont hyper libres et en contact avec leur sexualité. Je déprime trop et je ne sais absolument pas quoi faire. Sérieux, l'aliénation des jeunes, c'est super rebattu ; je ne suis pas le cliché de la jeune droguée et je n'écrirai sûrement pas des poèmes et ne tournerai pas de films bizarres. Mais que puis-je faire pour minimiser la douleur ?
— Mécontente.

R: Chère M,

Hum, tu m'as l'air super drôle. Tu as raison, toutefois – l'aliénation des jeunes, c'*est* bel et bien rebattu. Donc tu es jeune, tu es riche et espérons que tu n'es physiquement pas trop naze, même si une séance d'épilation à la cire rapide s'impose, car je sais combien les Européens aiment les filles « nature ». Mon conseil est le même que celui que je donnerais à toute fillette de cinq ans qui se respecte en route pour son premier jour dans un jardin d'enfants ultra classe : trouve un ami ! Et ne tape pas les garçons dans la cour de récré – à moins que ce soit ton truc.
— GG

Il est l'heure pour moi de faire une sieste beauté – et pour vous aussi, je vous le conseille. N'oubliez pas, demain est le premier jour du reste de votre vie. Faites-en bon usage.

Vous m'adorez, ne dites pas le contraire,

tout sur *a*

— Tu es sûre que ça va aller ? demanda Avery à Baby, sa sœur cadette de sept minutes, qui serrait bien fort son *chai* maison extralarge et regardait fixement ses tongs Havaina blanches sales.

Elles tournèrent sur Madison et se dirigèrent vers le bâtiment de brique rouge sur la 93e Rue Est, l'École de filles de Constance Billard.

— Ouais, répondit Baby, ennuyée. (C'était sa sœur qui flippait et les avait fait partir de chez elles à 7 heures, une heure avant le début des cours.) Je ne crois pas que je vais faire long feu, de toute façon, ajouta-t-elle d'un ton mystérieux en attachant ses cheveux châtains ondulés en queue-de-cheval en vrac qu'elle noua sur elle-même. Baby avait le genre de cheveux qui paraissaient plus beaux moins elle les brossait. Ou les lavait. Ce qui signifiait qu'elle ne faisait ni l'un ni l'autre. Si une fois par semaine Avery ne lui tendait pas d'embuscade à base de brume démêlante Bumble and Bumble et de brosse Mason Pearson en poils de sanglier, elle aurait des dreadlocks aujourd'hui.

On demande le docteur Fekkai ! Si seulement il faisait des visites à domicile.

— Peux-tu enlever ce sweat-shirt ? Il pue.

Avery darda un regard noir sur le sweat-shirt rouge Nantucket

High que Baby avait refusé d'enlever depuis le départ de Tom. Avery adorait les histoires d'amour, mais Tom n'aurait-il pas pu lui laisser quelque chose de normal, comme un collier Tiffany, pour que Baby se souvienne de lui?

— S'il te plaît? insista Avery, plus gentiment cette fois, voyant que sa sœur n'avait pas l'intention d'enlever le sweat.

Baby loucha et lui tira la langue en enlevant le sweat pour révéler un T-shirt *tie & dye* de Grateful Dead, vestige de l'époque hippie de leur mère. Avery poussa un soupir de frustration. Sa sœur était-elle à ce point déterminée à ce que toutes leurs camarades de classe la détestent? Baby fouilla dans sa besace géante Brooklyn Industries en vinyle vert fluo et trouva son blazer bleu de Constance.

— Je fais cela pour toi, c'est tout, déclara Baby en gratifiant sa sœur d'un sourire radieux.

Elle enfila son blazer et rangea le sweat-shirt dans son sac.

— Voilà qui est bien mieux, soupira Avery, satisfaite.

Heureusement le blazer cachait les ours qui dansaient sur le T-shirt de Baby.

Ensemble elles tournèrent à l'angle de la 93e et s'approchèrent du bâtiment de brique rouge à trois étages.

— C'est parti, dit Avery entre ses dents quand elles passèrent les doubles portes bleu roi imposantes de Constance Billard.

Elle jeta des regards nerveux sur l'océan de filles en jupe de crépon de coton aux cheveux brillants tout juste méchés. Comment savoir avec qui être amie? Son assurance s'évanouit une seconde et elle désira presque se retrouver à Nantucket High, où, l'an dernier, elle avait été élue fille la mieux habillée et la plus apte à figurer parmi le gratin des terminales dans l'annuaire du lycée – alors qu'elle n'était qu'en seconde. Comment pourrait-elle se faire remarquer ici?

Quand on veut, on peut.

— Bien, les nouvelles ! Nous ferons une visite dans cinq minutes ! hurla une femme corpulente au visage rond et plat comme une poupée Charlotte aux fraises en attrapant l'épaule d'Avery et en l'entraînant vers un groupe de filles petites et nerveuses regroupées dans un coin.

— Je suis en *première*, protesta Avery.

Faisait-elle aussi jeune ? Avec un bandeau Coach en cuir noir bien positionné sur sa tête blonde, ses nouvelles sandales Louboutin bleu marine aux talons bobines et ses perles porte-bonheur de grand-mère Avery, elle ne trouvait pas. En regardant autour d'elle, elle constata que chaque fille portait exactement le même sac Speedy de Louis Vuitton qu'elle avait essayé de remplacer hier chez Barneys. Il hurlait pratiquement : « *Je n'y connais rien !* » Elle rougit.

— Bienvenue à Constance Billard, je suis la directrice, Mme McLean, hurla la femme, les boutons pourpre de son tailleur-pantalon à deux doigts d'éclater sur son opulente poitrine. Un guide ne va pas tarder à venir vous voir pour l'orientation des premières années.

Elle tapota distraitement la tête d'Avery et tourna les talons pour suivre une toute petite enseignante brune à la coupe courte.

— Je suis bien ? murmura Avery, inquiète, à Baby, une fois à distance raisonnable du groupe de filles plus jeunes.

— Ouais, bien sûr, répondit distraitement Baby en s'arrêtant pour examiner les trophées exposés en vitrine en plein milieu du hall principal.

— Je file aux toilettes vite fait, décida Avery. (Elle devait s'assurer qu'elle n'était pas en pleine crise maquillage et voulait se rappliquer du gloss, se rebrosser les dents et vérifier que ses cheveux ne partaient pas dans tous les sens.) On a français dans cinq minutes! ajouta-t-elle en hurlant, nerveuse. Baby se contenta d'agiter le bras en direction des toilettes.

Avery se campa devant le miroir au-dessus des lavabos et se lava les mains bien qu'elle n'en eût pas besoin. À sa gauche et à sa droite se tenaient des filles, qui, devina-t-elle, devaient être dans sa classe. Elle sourit dans le miroir à une élève à la frange châtain raide qui s'appliquait bien trop de blush Nars en teinte Orgasm. C'était une couleur qui flattait n'importe qui – mais pas si l'on en mettait des tonnes.

— Salut, je suis Avery, lâcha-t-elle étourdiment, surprise par son culot.

Mais il y avait quelque chose d'amical dans les yeux noisette de la fille.

— Jiffy, sourit brièvement l'adolescente avant de retourner à son reflet, sourcils froncés.

Avery s'empressa de se sécher les mains sur une serviette en papier, sans savoir si la fille était aimable ou si elle venait de se prendre un râteau.

Quand elle sortit des toilettes avec une minute d'avance, elle jeta un œil à son emploi du temps scotché dans son Filofax de cuir rose. SALLE 125, FRANÇAIS AVEC MME ROGERS. La 125 était juste en bas du couloir. Elle entra, passa devant Baby assise près de la sortie. Elle s'installa devant, en plein milieu.

« Alors comme ça Jack a quitté Paris pour traîner à Sagaponack? » Avery entendit-elle Jiffy demander en entrant dans la salle. Elle s'assit à côté d'une fille à forte poitrine en blouse Calvin Klein crème à manches bouffantes.

— Ouais, répondit la poitrine plantureuse d'une voix ennuyée en jouant avec deux gros bracelets en émail Hermès poussés au-dessus de son coude. Je ne suis restée que quelques semaines dans les Hamptons. La côte Est, ça commence à me gonfler grave.

Avery sourit. Elles avaient toutes l'air si sophistiquées. Mais Jack… n'était-ce pas le nom de cette pétasse de chez Barneys? Elle lissa calmement ses cheveux blonds. C'était probablement un prénom courant dans l'Upper East Side, comme Chloe ou Madison.

Ou Baby?

La fille à la poitrine généreuse regarda dans sa direction avec l'air d'attendre quelque chose. Avery, grisée, lui rendit son sourire.

— On a encore piqué des sacs hier? fit une voix dans son dos.

Elle se retourna et se retrouva nez à nez avec son propre reflet, qui lui faisait un clin d'œil dans la poignée en cuivre d'un sac Givenchy. Elle leva lentement les yeux. Debout, tout sourires, Jack Laurent, en chaussures Christian Louboutin beige et uniforme en crépon de coton parfaitement usé, semblait encore plus grande et plus pétasse que la veille.

— Hum, salut, marmonna Avery en évitant son regard alors que deux mots – *oh* et *merde* – filaient dans sa tête.

— La prochaine fois, tu devrais peut-être faire un tour au Barneys du New Jersey, annonça Jack en souriant aux deux filles derrière Avery. Et tu vas devoir bouger parce que tu es assise à ma place. (Elle sortit un cahier et un stylo Montblanc en argent lustré de son sac et les étala sur le bureau pour marquer son territoire.) Tu peux t'asseoir près de la porte, au cas où tu aurais besoin de t'enfuir en courant, suggéra-t-elle d'une fausse voix sirupeuse. Après avoir volé le sac de Mme Rogers ou de quelqu'un d'autre.

Le visage écarlate, Avery prit son sac et chercha une autre place du regard. La salle de classe s'était vite remplie et la seule place disponible était à côté de Baby, qui n'avait pas ôté ses lunettes de soleil et gravait quelque chose dans le bureau en bois avec son stylo. Avec son blazer froissé, ses cheveux ébouriffés et ses lunettes noires, on aurait dit Kate Moss pendant sa désintoxication. Avery alla lentement la rejoindre. Elle aimait sa sœur, mais il y avait quelque chose d'extrêmement nul à s'asseoir côte à côte le jour de la rentrée, comme si elles n'avaient pas d'amies.

Parce qu'elles en ont ?

— Salut.

Elle se glissa à côté d'elle.

— Qui c'était ? demanda Baby en remontant ses lunettes de soleil sur sa tête pour pouvoir examiner la jolie fille aux taches de rousseur qui les fusillait du regard. (Baby la gratifia d'un sourire faux et agita la main. L'Upper East Side regorgeait de pouffiasses, trouvait-elle.) Quel était son problème, au fait ? demanda-t-elle haut et fort.

Avery sentit tous les yeux posés sur elles. Ce n'était *pas* comme cela qu'elle voulait faire la connaissance de ses nouvelles camarades de classe.

— Je ne sais pas, murmura Avery en retour.

Elle n'avait pas parlé à sa sœur du fiasco chez Barneys de la veille, sachant que celle-ci refuserait de laisser passer cela. Elle enfila son cardigan TSE en cachemire noir et le boutonna, au cas où elle commence à avoir de l'urticaire. Mme Rogers, en tailleur-pantalon Tocca noir élégant entra. Elle avait la soixantaine, mais avait bien vieilli, comme Catherine Deneuve. Elle posa ses livres sur son bureau et passa en revue la salle remplie de filles.

— Bienvenue à toutes, commença-t-elle. Jacqueline, comme toujours, c'est un plaisir de vous avoir là, ajouta-t-elle en avisant Jack assise devant, en plein milieu, pratiquement sur son bureau. (Il était impossible de ne pas remarquer qui que ce fût à cette place, songea amèrement Avery.) Comme nous avons des nouvelles dans la classe, nous commencerons par nous présenter en français. Jack pouvez-vous écrire au tableau ?

La jeune fille se leva.

— Bien sûr. Y a-t-il un morceau de craie que je puisse voler ? siffla-t-elle dans la direction d'Avery en glissant gracieusement vers le devant de la salle, ses cheveux auburn se balançant. Mme Rogers remarqua Avery et Baby et frappa dans ses mains, comme si les voir était la chose la plus palpitante qu'elle n'avait jamais vue.

— *Nos nouvelles étudiantes !* s'écria-t-elle. *Peut-être voulez-vous vous présenter**1 ?

Avery s'éclaircit la gorge, tâchant de ne pas avoir l'air trop impatiente. Elle savait exactement ce qu'elle allait dire : elle avait répété la présentation dans sa tête toute la matinée. « *Je m'appelle Avery Carlyle. J'arrive de Sconset, Nantucket, et je suis super contente de vivre ici. Mes passions sont… »*

— *Peut-être pourraient-elles commencer par nous parler de leurs choix intéressants vestimentaires ?** suggéra innocemment Jack avant qu'Avery ou Baby ne puissent dire un seul mot.

Elle leva le morceau de **craie** sur le tableau comme si cela allait les empêcher de remarque**r le** sarcasme dans sa voix et de réagir.

— *Quelle** pétasse, lâcha Baby, cachant en partie ses paroles avec un faux éternuement.

Avery retourna la tête d'un coup pour assassiner sa sœur du regard. Baby venait-elle de dire une grossièreté ?

— *Excusez-moi** ?

Le visage aristocratique de Mme Rogers devint tout rouge.

— *Excusez-moi**, fit Baby en souriant.

Très contrit.

— *Mais comment dit-on** pétasse ? poursuivit Baby dans un

---

1. Tous les mots ou expressions en italique suivis d'un astérisque sont en français dans le texte. (*N.d.T.*)

français parfait. *Parce que je pense que c'est le meilleur mot pour décrire cette fille**.

Elle désigna Jack du doigt.

Avery analysa rapidement ses paroles. Baby avait parlé vite, comme s'il s'agissait de sa langue natale, ce qui était impressionnant. Sauf qu'elle venait d'annoncer que Jack Laurent était une pétasse.

— *Je m'excuse**, dit Avery qui s'empressa de briser le silence choqué, sans même regarder sa sœur. Que foutait-elle donc ?

— *Sortez** ! ordonna Mme Rogers. Dans le bureau de Mme McLean, immédiatement ! ajouta-t-elle plus doucement, tâchant manifestement de garder son sang-froid et de récupérer le contrôle de la classe.

— *Au revoir**, lança Baby dans un grand sourire.

Elle ramassa son énorme besace, fit un clin d'œil à Avery et sortit tranquillement de la salle de classe.

Avery regarda Mme Rogers, paniquée à l'idée de devoir payer pour la zizanie qu'avait semée sa sœur.

— C'est son premier jour de classe et cela la rend nerveuse. C'est une espèce de trouble nerveux. Comme le syndrome de Tourette, annonça-t-elle, désespérée.

— C'était votre sœur ? demanda Mme Rogers en consultant la liste d'élèves et en ne feignant plus de parler français.

Avery opina, bien qu'elle fût prête à déshonorer Baby.

— Et vous êtes ?

La salle était silencieuse. Jack, toujours debout au tableau, craie à la main, attendait de retranscrire le procès comme une greffière.

— Avery Carlyle. Une fois de plus, je vous présente mes excuses. Ce n'est pas de sa faute, mentit-elle.

Que Baby passe donc pour une abrutie. Au moins, les autres

filles plaindraient Avery de devoir supporter un membre de la famille *contesté*. Du coin de l'œil, elle vit un large sourire s'épanouir sur le visage de Jack.

— Je m'excuse, Mme Rogers, dit bien sagement Jack. Je n'avais pas réalisé que je la mettrais dans un tel état. J'ai rencontré Avery l'autre jour, et si j'avais su qu'elles étaient sœurs, j'aurais été un peu plus douce. Je sais qu'Avery a des problèmes elle aussi, conclut-elle en fronçant les sourcils d'inquiétude, comme si les sœurs Carlyle étaient les filles les plus tristes qu'elle n'avait jamais rencontrées.

Le reste de la classe pouffa et se tourna pour dévisager Avery.

— Attention! (Mme Rogers tapa sa règle contre le bureau de bois au-devant de la classe.) Je ne veux plus entendre un seul mot ce matin. Nous allons faire une interrogation sur les verbes, à la place.

Un grognement désapprobateur s'éleva, alors que des livres bleus étaient distribués dans chaque rangée. Avery sentit vingt paires d'yeux en colère posés sur elle. La fille devant elle déposa violemment une pile de cahiers bleus sur son bureau, certains tombèrent par terre. Quand Avery se pencha pour les ramasser, elle remarqua un petit mot écrit à la hâte dans l'un des livres, visiblement pour une fille dans sa rangée. « *La nouvelle se came ou quoi? Tu trouves pas que la blonde a l'air tarée?* » La réponse était soulignée deux fois d'une écriture pourpre toute en bulles : « *SI* ».

Avery chiffonna le mot et le jeta par terre. Elle qui voulait faire bonne impression, c'était fichu. Sa vie à Constance était déjà foutue.

Avery : 0. Jack : 2. Mais ce n'était que le premier jour. Il y aurait largement le temps pour un match retour.

en amour comme à la guerre,
tous les coups sont permis

Owen était avachi à son bureau dans la petite salle d'histoire au tapis bleu de Mlle Kendall de St. Jude's, l'école de garçons. C'était son dernier cours avant le déjeuner, et il était pressé de sortir et de défaire le dernier bouton de sa chemise de soirée blanche bien repassée. Il gigota dans la chaise de bois usée, son treillis trop amidonné se frottant contre le dos de ses genoux.

— Cela inspire-t-il quelqu'un ?

Mlle Kendall, leur jeune professeur d'histoire, châtain terne, regardait avec ravissement une diapositive de *la Conversion de saint Paul* du Caravage.

Owen étudia la peinture et s'imagina l'expliquer à Kat. Il avait encore rêvé d'elle la nuit précédente, et il ne parvenait plus à la chasser de sa tête. Il examina de nouveau la photo, regarda la façon dont la lumière entrait à flots par la fenêtre et sur saint Paul. Voilà ce que cela lui inspirait. À un moment il n'avait été que lui-même puis il l'avait vue et… Dieu qu'il était excité.

— M. Carlyle, voudriez-vous bien venir expliquer certaines techniques les plus éminentes du Caravage ?

— Je pense que Duke se ferait un plaisir de le faire, marmonna

Owen en jetant un coup d'œil à Duke Randall, super maigre, qui agitait la main comme un fou.

Il avait déjà entendu dire que la plupart des garçons craquaient pour Mlle Kendall. Il courait même une rumeur selon laquelle elle inviterait ses chouchous dans son bureau pour « des études supplémentaires ». Il ne parvenait pas à croire que ces garçons étaient désespérés au point de fantasmer sur leur professeur. Elle avait six poils noirs rêches qui dépassaient d'un point de beauté en forme de poire sur le menton.

Sexy.

Alors que Duke, du haut de son mètre soixante-dix, se dirigeait vers le grand écran blanc au-devant de la salle, la sonnerie retentit, indiquant la fin du cours.

— Bien, messieurs. Souvenez-vous, dans l'art comme dans la vie, tout est une question de désir !

Mlle Kendall frappa dans ses mains et rougit comme une folle.

Rhys s'arrêta à côté du bureau d'Owen qui rangeait ses affaires.

— Si on allait s'acheter à bouffer ? proposa-t-il.

— D'accord, répondit Owen.

Ils sortirent de la salle ensemble. Le couloir était bondé de garçons en blazers bleus aux boutons en or identiques.

— Je vais à mon casier. Je reviens dans une minute.

Rhys tourna à droite en direction de son casier. Owen continua dans le couloir et jeta un œil aux deux garçons petits de chaque côté de son casier gris qui venait d'être repeint. On aurait dit qu'ils se rendaient à des réunions sur Wall Street et non à un cours de math. Son portable bipa et il le glissa hors de sa poche, espérant que Kat aurait réussi à trouver son numéro quelque part.

Pourquoi pas son nom ?

« PIRE JOURNÉE DE MA VIE » disait le texto d'Avery. La tendance de sa sœur à tout exagérer le fit sourire. Elle avait probablement découvert qu'il n'y avait pas de sèche-cheveux dans la salle des casiers, quelque chose comme ça. Il s'adossa au métal frais du casier et jeta un œil dans le couloir. Ses yeux se posèrent sur une paire de jambes. De jambes de filles. Il retraça leur courbure familière, la cuisse parsemée de taches de rousseur, la jupe écossaise plissée qui arrivait au genou et le chemisier en oxford blanc amidonné. Et il la vit.

Kat.

L'illusion se rapprochait de lui et il cria, malgré lui :

— Kat !

Elle le regarda, confuse, puis se fendit d'un sourire radieux. Ses cheveux parsemés de caramel brillaient sans effort et ses yeux bleus étaient animés et vifs. Même sous l'éclairage fluorescent terne du couloir de l'école, elle était rayonnante.

— Rhys ! hurla-t-elle.

Owen virevolta sur lui-même. Rhys tournait au coin derrière lui.

— Hé ! (Rhys attira Kat dans une étreinte tandis qu'Owen le regardait faire, avec l'impression d'assister à un accident de voiture.) Owen, voici ma petite amie, Kelsey, déclara Rhys en posant le bras sur son épaule fluette.

Owen regarda fixement la fille. C'était Kat. *Sa* Kat.

Oh, euh, *Kelsey.*

Rhys laissa aller son regard d'Owen à Kelsey. On aurait dit que Kelsey avait vu un fantôme.

Le fantôme de l'été passé ?

— Vous vous connaissez ? demanda-t-il.

— Je ne le connais pas, répondit Kelsey en s'éloignant de Rhys comme si on venait de la gifler. Je voulais te faire la surprise et il m'a montré ton casier. Comment t'appelles-tu, déjà ?

— Owen, s'étrangla Owen.

Il avait l'impression d'essayer de parler sous l'eau. Que se passait-il, bordel ?

— Enchantée, dit Kat à ses pieds.

Owen savait qu'il ne pouvait pas la regarder. Il ne voulait pas voir ses yeux bleu argenté contempler Rhys comme elle l'avait couvé des yeux cette nuit-là sur la plage. Lui avait-elle menti quand elle lui avait confié que c'était sa première fois ?

— Bon, j'imagine que Kat et moi allons déjeuner ensemble. Désolé de te laisser tomber, dit Rhys, sans se rendre compte qu'Owen et Kat fixaient tous les deux le même point par terre.

Rhys remonta la main de Kelsey à ses lèvres et l'embrassa, comme s'il voulait que tout le monde voie combien il était amoureux. Owen avait déjà pigé.

— Hé, on peut s'en aller ? murmura Kelsey d'un ton pressant.

Rhys sentait son souffle chaud dans son oreille. Cela lui rappela la nuit dernière, et il se surprit à s'exciter quelque peu, bien qu'il ne soit que midi et demi et qu'ils se trouvent dans les couloirs austères aux casiers gris de St. Jude's.

— Bien sûr, répondit-il avec empressement, puis il constata que son visage était pâle. Tu vas bien ?

Il toucha son front, inquiet. Peut-être tombait-elle malade.

— Ouais. (Kelsey haussa les épaules et sa bouche en cœur se courba en un sourire.) Tu sais, c'est juste le trac de la rentrée.

Ou le stress d'être infidèle ?

— Enchantée, Owen, répéta Kelsey avec détermination, sans croiser son regard.

— Moi aussi, marmonna-t-il en descendant le couloir en traînant les pieds et en résistant au besoin urgent de donner un coup dans quelque chose.

Rhys et Kelsey dévalèrent les marches en béton de St. Jude's et tournèrent en direction de East End Avenue. Sans demander, le jeune homme s'arrêta devant le vendeur à l'angle et leur commanda une tasse de café à chacun, noir pour lui avec deux sucrettes, et au lait à 1 % pour elle. Rhys se sentait toujours un peu viril quand il pouvait prendre soin d'elle, même pour de petites choses.

Que désirer de plus d'un garçon ?

Sans rien dire, ils marchèrent jusqu'à un banc en bois dans Carl Schulz Park et s'assirent en face de l'East River. Le parc était vide, à l'exception d'une vieille dame qui avançait le long de la promenade d'un pas traînant avec son yorkshire vêtu de rouge, et quelques personnes qui faisaient bruyamment du roller. En temps normal, la rivière était vraiment très sale et l'on pouvait imaginer des corps descendre le courant. Mais avec Kelsey à son côté, elle était presque romantique. Rhys poussa un soupir de contentement en drapant son bras sur ses épaules maigres. Il se demanda s'il pourrait réserver en dernière minute une suite au Mandarin pour après les cours.

— Je pensais à hier, commença-t-il. Je pensais…

— Moi aussi, je pensais, l'interrompit Kelsey. (La vapeur s'élevait de sa tasse de café, et il vit des teintes rousses dans ses cheveux caramel. Il avait hâte d'être à plus tard, quand ils se serviraient des coupes de champagne et trinqueraient à la première nuit du reste de leur vie.) Je pensais que j'avais quelque chose à te dire.

— Qu'est-ce ? s'enquit Rhys.

Elle était si sérieuse. Le yorkshire s'était assis par terre, mais sa propriétaire distraite continuait à traîner les pieds. Il donna un coup de coude à Kelsey, dans l'espoir de la faire rire. Elle ne remarqua pas.

— Je crois que nous devrions cesser de nous voir, lui annonça-t-elle sans ambages, en regardant la rivière droit devant elle.

Il fronça son front bronzé et ses sourcils châtains.

— Je t'aimerai toujours, poursuivit-elle.

Elle posa son café par terre, en équilibre instable sur un coin d'herbe.

— Que s'est-il passé? demanda Rhys.

Ses yeux le piquaient et il sentait le sang lui monter à la tête.

— Il y a quelqu'un d'autre, avoua-t-elle à toute allure.

— Quoi?

Rhys fit tomber sa tasse de café. Le liquide marron forma une flaque qui se répandit jusqu'à ses ballerines Prada *vintage* noir et blanc. Quelqu'un d'autre? Quelqu'un d'autre que lui?

— Oups! dit Kelsey en remontant ses pieds contre ses genoux et en riant nerveusement.

Rhys entraperçut des cuisses bronzées sous sa jupe, mais elles ne lui appartenaient plus, il n'avait plus le droit de les regarder. Elles étaient à… quelqu'un d'autre. Il ne voyait pas qu'ajouter. Une larme ruissela sur son visage, suivie d'une autre, et il les chassa, en colère.

— Si tu pleures, je vais pleurer moi aussi, pleurnicha Kelsey. C'est vraiment dur pour moi aussi. Je ne voulais pas te faire du mal, mais tu étais en Europe et moi au Cap tout l'été et… (Elle se tut, regarda l'eau, puis se tourna face à lui, des larmes dans ses yeux bleu argenté. Rhys réalisa qu'il ne l'avait encore jamais vue pleurer.) Je t'aimerai toujours, mais ce serait malhonnête de rester ensemble.

Sur quoi, Kelsey se leva et sortit du parc.

Rhys ne bougea pas sur les lames de bois usé du banc. Il regarda par terre, constatant pour la première fois que le trottoir brillait si on le regardait sans cesse. Il ne savait pas s'il allait pleurer ou s'évanouir. Il ferma les yeux et vit des étoiles.

Heureusement qu'il avait un nouvel ami aux larges épaules sur lesquelles pleurer.

si les vilaines s'éclatent plus, alors pourquoi *b* est-elle malheureuse ?

Baby ouvrit la lourde porte en chêne du bureau de Mme McLean, regardant d'un air mauvais le mot DIRECTRICE inscrit en relief sur la plaque en or qui y était accrochée. Cela faisait vraiment neuneu, comme si Constance Billard était une espèce d'école d'arts d'agrément pour les jeunes filles du XIXe siècle. Elle se glissa sur une bergère à oreilles dans la salle d'attente, en face de la secrétaire qui feignait d'être occupée sur son ordinateur. Elle ne pouvait pas supporter la prétention qui semblait suinter de tous les coins de Constance, depuis le professeur de français qui semblait avoir été envoyée d'une société de casting à ChênefoncéLand. Avant qu'ils n'emménagent, Baby avait imploré sa mère de rester à Nantucket, mais celle-ci avait refusé. Edie avait même envisagé de s'installer en permanence dans l'hôtel particulier couleur pêche de leur grand-mère une fois que les avocats auraient terminé. Baby n'avait jamais eu plus envie de retourner à Nantucket, avec Tom, qui n'exigeait jamais rien d'elle, qui la laissait simplement *être* elle-même.

— Mme McLean est prête à vous recevoir, annonça la secrétaire, une femme maigre d'âge moyen aux cheveux fillasse. Elle désigna d'un signe de tête la porte en noyer qui menait dans le bureau de la directrice.

— Merci, répondit Baby d'un ton faussement aimable.

Elle se leva et passa la porte.

— Je suis Mme McLean. (La directrice à la corpulence intimidante se leva en s'extrayant de derrière son énorme bureau en acajou, projetant une ombre au-dessus de Baby.) Et vous devez être Baby ?

La jeune fille opina et s'affala sur une causeuse dure, en velours bleu dans un coin, coinçant ses pieds sous elle. Toute la pièce était intégralement décorée dans des teintes de rouge, blanc et bleu. Elle se demanda si Mme McLean se prenait pour le Président.

La directrice fixa ostensiblement son regard sur les jambes fines de Baby, lui faisant signe avec les yeux de s'asseoir correctement. Baby les reposa par terre et soupira. Depuis seize ans, elle n'avait reçu que des éloges des professeurs. Elle avait toujours obtenu des A dans tout, sans même essayer. Mais aujourd'hui tout était différent. Bien sûr, elle pourrait expliquer avec brio qu'elle faisait simplement une démonstration du situationnisme – le mouvement européen avant-gardiste des années 1960 pour restaurer l'authenticité dans la vie. À Nantucket, elle aurait même pu obtenir des points supplémentaires pour son comportement. Mais assise dans le bureau austère de Mme McLean, elle sentait l'énergie quitter son corps, et elle ne tenait pas du tout à expliquer ce qu'elle ressentait.

— Mme Rogers vient d'appeler et votre comportement lui a fait de la peine, commença Mme McLean en regardant Baby avec ses yeux couleur terre. Je crois que nous en sommes quittes pour une note exceptionnellement mauvaise, n'est-ce pas ?

Baby grimaça. Elle ne supportait pas que les professeurs utilisent le pronom *nous* quand ils voulaient dire *vous*, comme dans : « *Vous êtes vraiment dans la merde, non ?* »

Ce qui était tout à fait le cas.

— Mais avant d'en venir aux faits, vous avez un prénom peu ordinaire, reprit Mme McLean en feuilletant le dossier de Baby. N'y a-t-il rien de plus approprié que vous préféreriez utiliser?

Baby plissa ses yeux bleus.

— C'est mon nom, dit-elle lentement en énonçant bien chaque mot.

Cette école n'était que conformisme. C'était une chose d'être obligée de porter un uniforme, mais ils voulaient lui faire changer de *nom*?

— Bon, très bien. Je voulais juste que vous sachiez que c'était une option si jamais vous souhaitiez autre chose de plus académique. (Mme McLean toussa et jeta un œil à la photo d'une ferme au cadre de bois qui ressortait parmi les mugs rouge et bleu remplis de stylos.) Mais bien sûr, cela ne regarde que vous. Et maintenant, revenons à nos moutons. Je sais que c'est votre premier jour et les choses peuvent être un peu trop stressantes pour vous et votre sœur. Toutefois, nous attendons des élèves qu'elles s'adaptent à nous, à Constance Billard.

La directrice la gratifia d'un sourire presque maternel, et l'espace d'un bref instant, Baby ressentit une pointe d'affection. Mme McLean lui faisait un peu penser à Doreen, la femme qui tenait le magasin de tartes chez elle à Nantucket. Doreen lui offrait toujours une part de tarte à la rhubarbe de la part de la maison quand elle oubliait son porte-monnaie.

— Je sais que votre sœur et vous avez connu une éducation plutôt non conformiste. Y a-t-il quelque chose dont vous souhaiteriez me parler?

Elle croisa les mains, impatiente, comme si elle attendait une confession larmoyante.

— Pas du tout, répondit Baby en secouant la tête. *Excepté le fait que je déteste tout dans New York.*

— Alors très bien. Je suis prête à fermer les yeux sur cet incident à condition que vous soyez prête à participer aux travaux d'intérêt général de Constance pendant une semaine. Cela se passera après les cours et ce n'est pas une punition. Je vais mettre au point un programme qui vous aidera à vous familiariser avec les traditions de Constance Billard. Je veux que vous ayez l'impression d'être chez vous à Constance.

Baby s'imagina en train de faire briller la vitrine de trophées dans l'entrée tandis que les filles la piétinaient pour se rendre dans une vente privée, ou chez Barneys, ou n'importe où ailleurs.

— Alors qu'en pensez-vous ? la pressa Mme McLean. Faites vos travaux d'intérêt général et tenez-vous bien pendant un mois et nous oublierons cet incident.

— Ça a l'air trop génial, bordel ! bâilla Baby.

Un picotement d'exaltation parcourut sa colonne vertébrale à toute allure quand la petite bouche de Charlotte aux Fraises de la directrice forma un *O* de surprise.

— Pardon ?

La voix de ténor de Mme McLean se transforma en grognement, mais Baby continua à la regarder droit dans les yeux.

— Faites-moi faire du travail manuel, bâilla de nouveau la jeune fille. C'est tout à fait le genre de pensées latérales qui rendent Constance si exceptionnelle. (Sa dernière phrase faillit la faire glousser.) Puis-je y aller maintenant ?

— Non. (Mme McLean fit la moue.) J'ai vu vos notes, vous êtes intelligente, mais ici, ça ne suffit pas. L'an dernier, une fille qui a succombé à une mauvaise influence a dû trouver un cursus scolaire plus approprié – *au pensionnat.*

— Ça me dit quelque chose.

Mme McLean sortit une fine brochure bleue d'un classeur et la donna à Baby. *Code de conduite de Constance Billard* était imprimé sur la couverture.

Baby se leva et défroissa sa jupe. Elle était si amidonnée qu'elle aurait pu tenir debout toute seule.

— Une dernière chose. (Mme McLean se cala dans sa chaise et regarda fixement Baby.) À Constance, nous avons une tradition d'excellence, qui inclut une règle des trois prises[1] – pas de cadeau.

Un sourire effleura les lèvres de la jeune fille. Voilà que ce serait même encore plus facile qu'elle ne l'avait cru. Si on la mettait à la porte de Constance, Edie devrait reconnaître que ce n'était pas sa place ici et n'aurait d'autre choix que de la renvoyer chez elle, à Nantucket. Plus que quelques jours à marmonner des grossièretés en français et elle serait dans le ferry, décoiffée par la brise océane.

— Ai-je dit quelque chose de drôle ? demanda Mme McLean en la regardant sévèrement.

— Non.

Baby se dirigea vers la porte.

— Alors très bien. (La directrice n'avait pas l'air entièrement convaincue.) Lisez la brochure. Et n'oubliez pas, Baby, cela compte comme votre première prise.

La jeune fille sortit du bureau à grands pas, un sourire de triomphe aux lèvres. Elle n'avait jamais vraiment aimé le base-ball, mais voilà qu'elle lui était autrement sensible.

Car au bout d'une prise, deux prises, trois prises, on se fait sortir de ce bon vieux jeu de ballon !

---

1. Un retrait sur trois prises est un terme de base-ball : quand le frappeur enregistre trois prises pendant sa présence au bâton, il est éliminé du match. (*N.d.T.*)

comment gagner des amis et de l'influence

Avery fut soulagée quand la sonnerie retentit juste après les cours avancés d'anglais, indiquant que c'était l'heure de la réunion de tous les élèves de l'école. Elle suivit la foule de filles qui se dirigeaient vers l'entrée, leurs queues-de-cheval brillantes rebondissant et leurs ballerines Chloé claquant sur les sols cirés.

Nerveusement, elle remit ses cheveux en place et suivit deux des pétasses d'honneur de Jack Laurent dans l'auditorium bondé.

— Il paraît qu'on l'a foutue dehors. Apparemment, c'est une grosse klepto, style Winona, et on lui a interdit l'entrée du supermarché de Nantucket pour avoir volé, genre, des Triscuits, racontait Jiffy Bennett à une petite blonde tout en dégageant ses longs cheveux châtains ondulés sur son épaule. Jiffy, couverte de taches de rousseur, arborait une frange austère qui encadrait son visage rond, et l'autre fille portait un journal couleur saumon et des lunettes Prada noires, comme si elle sortait d'une réunion éditoriale chez *Vogue*.

— Vraiment? Je n'ai rien entendu sur elle, mais sur celle qui ne se lave jamais les cheveux. Genre, elle croit que son odeur naturelle est un aphrodisiaque. Tu t'imagines en cours de gym avec elle? observa haut et fort la fille à lunettes en remontant ses bésicles sur son petit nez.

— Tu sais que ce sont des triplés, hein ? Ma mère allait à l'école avec leur mère et il paraît que leur frère est trop beau gosse ! Il était censé être top model pour le défilé Valentino, mais il a décidé de rester aux États-Unis. Et il est aussi censé participer aux Jeux olympiques, et il porte tout le temps un Speedo porte-bonheur sous ses vêtements. Le même, apparemment, conclut Jiffy d'un ton important.

Avery sentit son cœur s'arrêter – elles parlaient bel et bien de sa famille. Owen était le seul à porter des Speedo à la place d'un boxer.

Jiffy jeta un coup d'œil en direction d'Avery, une vague de reconnaissance traversant ses yeux noisette foncé. Avery se détourna rapidement et se hâta de gagner le fond de l'auditorium en ignorant son trac et en souhaitant être n'importe où ailleurs qu'ici.

— Il y a quelqu'un ici ? demanda-t-elle en désignant l'un des seuls sièges qui n'étaient pas occupés, à côté d'une grande fille mince aux cheveux châtains ébouriffés qui lui arrivaient au menton, attachés par des pinces à cheveux.

— Toi, non ?

Avery ne savait pas si c'était une question ou un ordre. Elle se dirigea, mal à l'aise, vers le siège vide pendant que la fille la regardait fixement. Son blazer était déboutonné et elle portait un petit débardeur blanc et des bottes plate-forme ridiculement grandes, genre strip-teaseuse, de quinze centimètres. Avery n'était pas sûre, mais on aurait dit que les bouts de ses seins étaient percés. Elle détourna les yeux avant que la fille ne la surprenne en train de mater sa poitrine.

— Prends-le, dit Mamelons en tapotant le siège avec impatience et en retournant à son livre.

Dès qu'Avery s'assit, elle entendit les filles dans la rangée derrière elle pouffer et échanger des messes basses. Elle s'agita sur son siège, mal à l'aise, et jeta un œil au livre que la fille lisait. *Les Deux Visions des Choses : Politiques bisexuelles.* Avery passa la salle en revue pour voir si elle pouvait aller s'installer ailleurs sans avoir l'air malpolie, mais il ne restait plus de sièges vides. Elle soupira et se rassit, en espérant que la réunion allait vite commencer, pour qu'elle ne se retrouve pas coincée dans une conversation sur la politique du piercing des mamelons ou autre chose de tout aussi crade.

— Tu es nouvelle ? demanda la fille en refermant son livre. (Avery ne la regarda pas.) Sydney Miller.

Elle lui tendit la main.

— Avery, marmonna-t-elle en lui serrant la main.

La fille opina d'un air entendu.

— C'est un super prénom. Mes parents m'ont appelée Sydney car c'est là où j'ai été conçue. Et ensuite, bien sûr ils ont divorcé trois ans plus tard. Il n'y a plus que moi pour leur rappeler leur orgie débile.

Elle inclina la tête, impatiente, comme si elle attendait la propre histoire de conception d'Avery.

Avery tâcha de ne pas trahir son incrédulité. Elle ne risquait pas de lui confier que sa mère s'était rendue à une espèce de grosse orgie hippie dans un concert en plein air dégueulasse dans le New Hampshire et qu'elle s'était retrouvée avec des triplés. Elle se força à reposer les yeux sur la calligraphie élégante d'un livre de cantiques devant elle.

— Juste pour info, c'est nul ici, lui confia Sydney. J'ai hâte de me barrer. Sérieux, encore deux ans avant le bac. (Elle soupira d'un air tragique et partit d'une toux rauque de fumeur.) J'espérais que mes parents m'enverraient ailleurs, en ville, pour que je puisse au moins traîner avec les élèves de NYU. Ici, c'est Pétasseland, tu ne trouves pas ?

— Pas vraiment, murmura Avery, gênée que Sydney parle si fort.

Peut-être sa rentrée s'était-elle mal passée, mais elle avait toujours l'intention de faire de nouvelles rencontres et de s'intégrer. Jusqu'ici, tout lui plaisait à Constance, depuis la directrice constipée aux vues élégantes des hôtels particuliers sur la 93e Rue, jusqu'aux grandes fenêtres voûtées de l'auditorium et aux sièges bleus délabrés mangés par les mites. Avery sortit son miroir de poche MAC de sa poche et regarda d'un air critique ses pommettes et la frange plaquée de côté qui complétait son haut front. Qu'y avait-il en elle qui aliénait toutes les filles hormis cette bisexuelle trop gentille aux nichons percés ? Quand elle se pencha pour ranger son miroir de poche dans son sac, elle remarqua une grande étoile noire difforme sur l'avant-bras de Sydney.

Tu ne peux pas être différente si tu n'as pas de tatouage qui a l'air d'avoir été dessiné au marqueur.

Sydney suivit son regard.

— Ouais, je me suis fait faire ce tat' en Espagne cet été. Mes parents débiles se sont remis ensemble et ils voulaient faire une fête de vieux de cinquante ans qui redécouvrent le sexe, du coup ils m'ont envoyée en Europe. C'est un type que j'ai rencontré sur la plage à Barcelone qui l'a fait, du coup il l'a complètement merdé. Tu aimes l'art corporel ?

Une *french manucure* inversée, ça compte ?

— Non.

Avery secoua la tête et lui fit un petit sourire pour essayer d'être polie.

— Oh. (Sydney eut l'air déçue.) Parfois ce sont les filles les plus coincées qui sont vraiment les plus perverses à l'intérieur.

Juste à ce moment-là, Mme McLean entra au pas, suivie de Baby qui traînait les pieds et paraissait minuscule derrière la corpulente Mme M. Des chuchotements traversèrent les allées avec légèreté quand on l'escorta à une place au premier rang. Avery sentit le rouge familier envahir son décolleté. Qu'avait fait sa sœur cette fois?

Jack jeta un coup d'œil derrière elle et remarqua Avery assise à côté de Sydney Miller, une fille que tout le monde ignorait depuis qu'elle avait fait son coming-out de « lesbienne académique » en quatrième et avait insisté pour prononcer le mot *woman*, « w-o-m-y-n ». Jack sortit un chewing-gum du sac de Geneviève en se demandant au passage si la poitrine de celle-ci n'avait pas encore grossi. Elle paraissait plus volumineuse qu'au printemps dernier.

Mais elle n'allait pas la mesurer.

Mme M. monta sur l'estrade d'un bon pas et se campa devant les filles dans son tailleur-pantalon Talbots uni de couleur pourpre, qu'elle ne sortait que pour les grandes occasions. Elle jeta un regard noir à la foule et Jack roula des yeux. Tout le monde savait que Mme M. était d'humeur massacrante le jour de la rentrée parce qu'elle détestait devoir quitter sa ferme du Vermont et Vonda, sa partenaire. Elle aurait préféré encore préparer des ragoûts et conduire un tracteur. Tout le monde savait que Mme M. espérait prendre sa retraite anticipée pour que Vonda et elle puissent ouvrir une ferme d'alpagas dans le Nord et monter une entreprise de fils faits sur commande.

Personne ne veut intégrer leur cercle de tricotage?

— Mesdames, c'est un plaisir de vous revoir toutes, en dépit de certaines transitions brutales. (Mme McLean jeta un coup d'œil à Baby et le cœur d'Avery martela ses côtes.) Nous sommes ravis d'accueillir toutes nos nouvelles élèves dans la famille de Constance Billard.

Un sourire s'étala sur le gros visage terreux de Mme M. quand elle baissa les yeux sur les rangées de filles de l'Upper East Side hyper pomponnées.

Quelques rangées devant, Jack donna un coup de coude dans la blonde maigre à forte poitrine qui était avec elle en cours de français. Toutes les deux pouffèrent puis regardèrent en direction de la scène, captivées, quand elles virent Mme M. jeter un regard noir dans leur direction.

Mme M. commença par parler du règlement pour l'année scolaire à venir. *Heures extra-longues dans le bureau du conseiller d'orientation pour les terminales qui auraient besoin d'aide pour leur inscription anticipée à l'université, interdiction de fumer dans l'enceinte de l'école.* Bla bla bla. Avery coupa le son et se mit à feuilleter son Filofax rose. Elle refusait de se servir d'un PDA parce qu'elle adorait la simplicité élégante qui consistait à écrire des dates et des événements. Jusque-là, toute l'année scolaire se dessinait indistinctement dans des rangées de cases roses vides. Que pourrait-elle raisonnablement accomplir pour se faire un nom ici ?

Ne s'était-elle pas plus ou moins déjà fait un nom ?

— Maintenant, mesdemoiselles, j'ai le plaisir de vous annoncer la création d'une nouvelle place au conseil en plus de celle de présidente de classe, continua la directrice d'une voix monotone. (Avery se ragaillardit.) La chargée de liaison au conseil de nos superviseurs. Comme vous le savez, nous entretenons de très bons rapports avec nos superviseurs, dont certains sont à Constance depuis sa fondation et, à ce titre, s'investissent énormément dans son avenir. L'élève élue représentera le corps étudiant et sera impliquée dans toutes les décisions concernant l'administration de notre école.

Jack sentit l'index pointu de Jiffy s'enfoncer dans son biceps musclé. Elle l'ignora. Qui était intéressée par une position de leader débile à l'école alors qu'elle avait tant de choses plus importantes à penser ?

Comme à J.P. torse nu, lui enlevant sa chemise et sa jupe avant d'ôter son pantalon...

— Et si l'on supprimait les miroirs dans la cafétéria, *s'il vous plaît* ? demanda Elise Wells, une grande élève de seconde, en agitant comme une folle le bras en l'air, ses cheveux épais ballottant. Deux autres filles poussèrent des cris d'approbation, comme si elles venaient d'entendre parler d'une vente privée Prada surprise, et d'un seul coup, la salle tout entière devint subitement le théâtre de discussions agitées. Tout le monde détestait les miroirs, qui non seulement vous faisaient vous sentir grosses quand vous déjeuniez, mais qui rendaient impossible de se cacher de quiconque.

— Du calme, mesdemoiselles ! (Mme McLean leur fit signe de se taire.) Ce n'est pas le moment de discuter de la décoration de l'école. La chargée de liaison au conseil des superviseurs aurait son mot à dire dans toute décision structurelle, ainsi que sur la discipline et les manifestations sponsorisées par l'école. C'est un engagement d'un an que j'ai le plaisir d'ouvrir aux classes de première. Si vous êtes intéressées, veuillez passer me voir après la réunion pour que je vous donne de la documentation. Les élections auront lieu lors du brunch annuel mère-fille au Tavern on the Green dimanche prochain.

Mme McLean frappa dans ses mains et la salle s'emplit à nouveau de murmures excités.

— Quelle putain de perte de temps ! lança Sydney d'une voix traînante et paresseuse en faisant tourner une bague en argent en forme de tête de mort autour de son pouce.

Mais Avery n'était que vaguement consciente de la présence de Sydney. Elle ne parvenait pas à croire à sa chance. Devenir la chargée de liaison serait le moyen idéal de se faire remarquer par

Constance. Elle faisait partie du conseil des étudiants à NHS et avait organisé une soirée de bienfaisance au profit de la gendarmerie maritime dont on avait même parlé dans *Boston Common*. Ça ne devrait pas être beaucoup plus dur, n'est-ce pas ? Elle se donnerait à fond, montrerait son esprit de camaraderie, rencontrerait des gens et ajouterait une nouvelle activité extrascolaire valorisante à son CV, le tout en un coup de cuillère à pot.

— Le côté planification de manifestations est super cool. Jack se fera élire, c'est clair ! Nous devrions donc commencer à réfléchir à des soirées, murmura Jiffy à voix haute à la blonde assise à côté d'elle.

— Tu comprends ce que je voulais dire quand je parlais de la Brigade des Pétasses ? dit Sydney en désignant Jack d'un geste, occupée à taper dans son Tréo tout en chuchotant avec son amie blonde à forte poitrine. L'école entière appartient à Jack Laurent, railla-t-elle.

L'ignorant, Avery se leva et, d'une démarche sportive, rejoignit Mme McLean devant le podium. Elle voulait être la première à faire la queue pour recevoir la documentation de sorte que la directrice sache avec quel sérieux elle briguait ce poste.

Au-devant de l'auditorium, Jack se leva lentement, banda les muscles de ses chevilles et constata avec plaisir combien elles étaient musclées. Elle était ravie de s'être réveillée tôt et de s'être rendue au studio Rise and Shine de Mme Walters pour faire des exercices à la barre. Tranquillement elle se rendit jusqu'à la scène. Mme M. se tenait derrière une estrade en chêne estampée et tenait un tas de dossiers couleur confiture de raisin, parfaitement assortis à son tailleur. Cette histoire de chargée de liaison était plutôt gonflante, mais ce serait une bonne activité extrascolaire pour ses candidatures à l'université, et elle pourrait se servir du budget de Constance pour mettre des soirées cool sur pied. De plus, ses amis l'avaient pratiquement forcée à s'inscrire.

Quand Jack flâna parmi les groupes de filles qui sortaient de l'auditorium, elle remarqua Elisabeth Cort, une première qui avait pratiquement perdu toute position de leader depuis qu'elle avait fait pipi dans sa culotte en cinquième pendant les élections du conseil de classe, qui piquait un sprint jusqu'au-devant de la salle. Jack allait lui dire de ne pas se donner tout ce mal quand elle se ravisa. Elle s'approcha de Mme M. et sourit, prit un dossier de candidature dans la pile. Puis elle remarqua cette odieuse Avery Carlyle marcher au pas juste derrière elle, une étincelle déterminée dans ses yeux bleu vif. Jack se mordit la lèvre d'un air entendu. Elisabeth Cort n'avait pas la moindre chance. Et cette insulaire klepto dotée d'une sœur souffrant du syndrome de Tourette non plus. Comme c'était nul de sa part d'essayer.

Hé, ne sous-estime jamais l'éthique professionnelle de la Nouvelle-Angleterre.

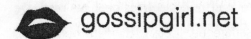
gossipgirl.net

Avertissement : tous les noms de lieux, personnes et événements ont été modifiés ou abrégés afin de protéger les innocents. En l'occurrence, moi.

Salut à tous !

La cloche n'a pas encore sonné et pourtant il s'est déjà passé tant de choses aujourd'hui ! Je devrais peut-être penser à m'offrir un téléscripteur...

PREMIÈRES IMPRESSIONS

Vous pouvez vous réinventer au cours de l'été, mais il suffit d'une seconde pour faire une impression pour toute l'année. Et ces triplés se sont clairement imposés comme ceux dont on parle sur le Golden Mile de Manhattan. Premièrement pourrions-nous discuter du miracle qu'est **O** ? Les rumeurs sont avérées et il est plus que beau gosse, mais apparemment il est trop occupé à essayer de se faire des potes pour jeter un œil aux jeunes filles. Ne vous inquiétez pas, je vais arranger ça. **B** est tout sauf innocente. Première pièce à conviction : sa connaissance étendue des injures françaises. Mais pourquoi tant de colère ? Le français est la langue de l'amour – peut-être est-ce justement ce qu'il lui faut. Et il faut reconnaître que le style d'**A** est impeccable. Mais comme nous le savons tous, avoir un look parfait signifie simplement que l'on a bien plus à cacher...

LA TRAGIQUE RUPTURE D'UN COUPLE EN OR DE L'UES[1]

Elle était une artiste saugrenue. Il était tellement poli que ça en était pénible. Ils s'aimaient depuis leur enfance. Lady S en personne avait apposé le sceau de l'approbation sur leur histoire d'amour. Alors que s'est-il passé ? Y en a-t-il un qui a eu la trouille ? Ou un autre qui cherchait plus de chaleur ?

LA FILLE QUI A BESOIN DE FAIRE RAFRAÎCHIR SA FRANGE

Mesdames, je sais que les franges épaisses sont à la mode, mais quand vos cheveux pendillent un centimètre au-dessus de vos yeux, on dirait que quelqu'un a jeté un bol Missoni centre de table au-dessus de votre tête et s'est mis à couper tout autour. Vous savez quoi ? Rien ne vous oblige à passer deux précieuses heures au Red Door Salon d'Elizabeth Arden pour faire rafraîchir votre frange. On appelle ça une paire de ciseaux. On coupe ! Le look « J'ai fait ça toute seule » est *très* tendance en ce moment.

LE « POWER COUPLE » PRESQUE MARIÉ

L'ont-ils fait ou ne l'ont-ils pas fait ? Ils ont passé un été séparés, où il s'est découvert une conscience sociale et elle, un penchant pour les pâtisseries. Sont-ils aussi proches qu'ils l'étaient à la fin de l'an dernier, quand il allait la chercher à son cours de danse avec un bouquet de fleurs ? Ou sont-ils *plus* proches ?

ON A VU :

J, tirer sur des Merits pendant le cours de photographie. Elle n'avait pas arrêté… ? **A**, tapie au fond de la salle d'anglais

1. Upper East Side. *(N.d.T.)*

avancé, sans regarder personne. Ce n'est pas comme cela que l'on se fait des amies… ! **R**, commander des roses pour les faire livrer à l'appartement de **K**. **O**, gigoter et taper du pied pendant le cours d'histoire américaine, comme s'il allait jaillir de sa peau d'un coup. Pourquoi une telle agitation ?

OK, je suis en route pour le **Elizabeth Arden Red Door Salon**. Taper aussi vite vient de ruiner ma *french manucure* inversée. *Soupir.* La vie est dure, mais il faut bien que quelqu'un la vive… Terminé !

Vous m'adorez, ne dites pas le contraire,

juré craché

Baby se renfrogna. Sa sœur ne l'avait même pas calculée quand elle avait pris la documentation des mains de Mme McLean, une fois la réunion de tous les élèves terminée. Baby ne prit pas la peine de s'arrêter à son casier, passa les portes bleu roi à toute allure puis ôta d'un coup son blazer bleu marine débile qui la grattait. Elle appuya sur le *1* de la composition automatique de son Nokia rouge tout fin, excitée à l'idée d'entendre la voix de Tom.

« Ouh là là ! J'ai dû aller au Brésil pour cet échange linguistique où mes parents m'avaient inscrite et je croyais que je traînerais sur la plage et ferais la fête à Rio, mais non, on était censées construire des maisons ! Ouh ouh, qui sait construire une maison ? Je suis de New York, putain ! », surprit Baby d'une conversation entre deux filles qui descendaient les marches d'un bon pas. L'une d'elles avait des cheveux châtains raides comme des baguettes et n'arrêtait pas de bousculer son amie en marchant.

Le téléphone continua de sonner, et Baby imagina Tom devant son casier rouge cabossé dans le couloir bondé de NHS. Après les cours, tout le monde partirait manger un bout ou traînerait sur la plage, quelques rues plus loin. Elle compta jusqu'à cinq sonneries avant de s'affaler sur les marches de pierre de l'école en face de la 93e Rue. De partout, des filles sortaient en masse des portes bleu roi. L'une faillit même lui donner un coup avec son sac Balenciaga argenté quand elle ouvrit son téléphone à la va-vite.

— Lô?

La voix chaude et nonchalante de Tom lui rappelait les piqueniques d'été, les tempêtes de pluie et Wilco qui passait trop fort sur la stéréo dans la Mercury Cougar 1988 marron boueuse qu'il avait achetée à son grand-père. Il avait ajouté des draps à l'imprimé léopard au fond et coincé un grill George Foreman sous le capot pour faire des barbecues improvisés sur la plage.

C'est ce qui s'appelle se refaire une beauté!

— C'est moi, dit-elle d'une petite voix, et elle fusilla du regard la jupe en crépon de coton bleu et blanc étalée sur ses genoux.

Si elle se trouvait à Nantucket, elle porterait les robes hippies du placard de sa mère, qui avaient toujours été comme une seconde peau. Là, elle étouffait. La dernière fois qu'elle avait porté une jupe au genou et boutonnée à la taille, elle avait cinq ans et était allée prendre le thé au Plaza avec grand-mère Avery.

— Comment s'est passée ta rentrée? demanda-t-elle en tâchant d'ignorer les conversations bruyantes autour d'elle.

— J'ai encore ce gros con de Funkmaster Smith en anglais, c'est trop relou, mais, au moins, comme ça, ça me fait deux heures de perm'!

Baby gloussa en se remémorant la forte odeur corporelle de M. Smith. Tom lui paraissait si loin. Elle désirait si fort qu'il soit près d'elle que cela lui fit mal.

Elle entendit un bruissement en fond sonore.

— Je veux le téléphone! pleurnicha une fille, impatiente. (C'était Kendra, l'une de ces parasites accessoires que Baby connaissait depuis le jardin d'enfants. Elles étaient amies, mais depuis que Kendra était devenue une fumeuse de shit invétérée, ses intérêts ne se résumaient plus qu'exclusivement au shit et aux étudiants qui venaient à Nantucket travailler dans des restaurants pour l'été et ne repartaient jamais.) Hé, Ba-ay-bee! (Kendra étira le nom de Baby sur trois syllabes et celle-ci comprit qu'elle devait être raide défoncée.) Alors, y a des teufs de tarés par chez toi? C'est comment de vivre à New York?

— Hum, c'est bien, mentit Baby. Mais il se peut que je rentre le week-end prochain pour la fête sur la plage.

Enfin c'est sûr, rectifia Baby en silence en avisant une fille invectiver en criant le chauffeur d'une limousine brillante qui s'était garée devant l'école.

— Si tôt? Je suis sûre qu'il y a des meilleures teufs à New York, non? répondit Kendra d'une voix traînante.

— Hé, tu peux me repasser Tom? dit sèchement Baby.

Elle n'était pas d'humeur à écouter l'une des conversations hypothétiques de Kendra sous l'effet du shit.

— Bien sûr. Mais ne t'inquiète pas si tu as un empêchement. On se débrouillera très bien sans toi.

Baby entendit rire derrière. Ils devaient probablement s'entasser dans la voiture de Tom. Elle donna un coup de pied dans la marche de pierre avec son talon, de frustration et de jalousie.

— Alors tu crois que tu pourras vraiment venir vendredi? Tu ne dois pas aller à un bal, un opéra ou autre chose? demanda Tom avec sa voix de fumeur endormi.

— On est à New York, pas dans le Sud profond! sourit Baby.

Elle adorait le manque de prétention total de Tom.

Et sa culture régionale?

— Bien sûr que je viendrai. Je ne peux pas louper la première fête sur la plage de l'année scolaire!

Baby comptait les heures. Elle avait hâte de coucher avec Tom dans son hamac à quelques pas seulement de l'océan.

— Cool. (Baby le voyait presque hocher la tête en signe

d'assentiment.) Enfin bref, on descend tous au dock, je ferais mieux d'y aller. Tu me manques, finit-il.

— Toi aussi, répondit Baby avant de raccrocher.

Elle se leva et traversa la rue sans savoir que faire d'elle pour le reste de l'après-midi. Elle envisagea d'attendre Avery, mais sa sœur semblait délibérément l'ignorer, de fait elle décida de l'ignorer tout aussi délibérément. Elle descendit du trottoir d'un pas ferme et résolu.

— Regarde où tu vas, *baby* ! cria un coursier à vélo en tournant sur Madison, la renversant presque.

En entendant son nom hurlé d'une voix si dure et coléreuse, et non douce et affectueuse, Baby sentit un accès de rage brûlante – contre sa mère, contre sa nouvelle école, contre tout New York City – traverser sa minuscule silhouette d'un coup.

— Va te faire foutre ! hurla-t-elle, furieuse.

Un groupe de dames d'un certain âge debout près de l'arrêt de bus se mit à échanger des messes basses. Baby bouillait de rage. Elle détestait New York. Tout le monde se ressemblait. Ces vieilles étaient exactement comme Jack Laurent et sa bande de pétasses, mais avec deux cents ans de plus.

Furieuse contre elle-même de s'être même soucié de ce qu'elles pensaient, elle alla se terrer dans un Starbucks où elle commanda un *chai* glacé au *barista*[1] surcaféiné qui passait la moindre commande en hurlant. Dès qu'elle sirota une gorgée, elle voulut cracher le liquide ultra sucré. Chez elle, à Nantucket, son *chai* l'attendrait déjà avant qu'elle ne se rende au Bean, son café préféré. Des chaînes comme le Starbucks avaient été interdites sur son île préférée.

Ouh ouh, ils n'ont pas non plus de Barneys. Ni grand-chose, à vrai dire, qui intéresserait quiconque.

1. Garçon de café en italien. Celui ou celle qui se trouve derrière le comptoir et prépare toutes les boissons. *(N.d.T.)*

Quand elle ressortit du Starbucks dans le soleil vif, elle avisa un énorme labrador sable qui tirait sur sa laisse Gucci et entraînait son maître, lequel essayait par ailleurs de gérer deux petits puggles[1] en manteaux Marc Jacobs rouge et bleu assortis. Elle secoua la tête ; elle se sentait mal pour les chiens qui avaient l'air aussi mal à l'aise dans leurs vêtements qu'elle. Leur propriétaire était un adolescent plutôt beau mec, aux cheveux châtains bien coupés, aux yeux noisette et large d'épaules. Baby se concentra sur son short. La couleur argile était rouge Nantucket – quelque chose que personne, pas même les insulaires, ne porterait jamais. Personne de normal, cela dit.

Sous ses yeux, le labrador arqua délibérément le dos et lâcha un gros rouleau de caca marron sur la sandale de cuir du garçon. On aurait dit qu'il le faisait pour le plaisir des yeux de Baby.

— Nemo ! s'écria le garçon en baissant les yeux, incrédule.

À ce moment-là, le chien se libéra et déguerpit, heurta une poussette et zigzagua, tout excité, entre des flots de piétons sur le trottoir.

Sans réfléchir, Baby abandonna son *chai* sur le trottoir et descendit la rue à toute allure, prête à tout pour rattraper le chiot avant qu'il ne se fasse écraser par un bus de la MTA ou une limousine errante.

« Achetez une laisse ! » entendit-elle une femme crier derrière elle.

Elle finit par rattraper le chien juste au moment où il allait rejoindre d'un bond le trafic qui arrivait sur la 5e. Il la regarda en cillant d'un air malheureux avec ses grands yeux noisette affectueux.

---

1. Croisement entre un beagle et un carlin, très à la mode en Californie. (*N.d.T.*)

— Tout va bien, lui murmura Baby en l'attrapant fermement par le collier.

Elle prit sa laisse, se rappela la scène dans *Annie* où l'orpheline vient en aide à Sandy, le mignon chien errant qui devient son meilleur ami et la suit partout.

Au moins, elle s'est fait un *ami.*

— Je sais que tu voulais t'enfuir, mais je dois te ramener à ton maître, d'accord?

Elle tira le chien jusqu'au Starbucks devant lequel se tenait son maître, qui essayait en vain de nettoyer la merde à son pied avec un sac en plastique noir. Les puggles avaient entortillé leurs laisses autour de ses jambes et reniflaient les jardinières devant le café.

— Voilà ton chien. Mais je ne crois pas que tu le mérites vraiment, annonça-t-elle, hypocrite, en lui tendant la laisse.

Il devint du même rouge tomate que son short. Il pourrait être mignon, songea-t-elle, à condition qu'elle craque pour le genre de beau gosse pourri gâté et privilégié de l'Upper East Side.

Et qu'elle n'ait pas de petit ami?

Nemo s'assit à côté de son maître, la tête penchée de côté, l'air d'attendre quelque chose. Le garçon tendit la main qui tenait le sac de merde puis se ravisa et la retira.

— Désolé. En temps normal, je te serrerais la main mais… (Il haussa les épaules.) Je m'appelle J.P. Cashman. Et ces monstres… (il jeta un coup d'œil aux chiens, à présent assis, obéissants, en rangée nette, qui regardaient Baby en cillant, et n'avaient pas du tout l'air monstrueux)… s'appellent Nemo, Darwin et Shackleton. J'ai promis à ma mère que je m'occuperais d'eux ces prochaines semaines.

— Je m'appelle Baby.

Elle tendit sa petite main. Elle ne voulait pas contribuer à la grossièreté générale de New York City.

— Baby, répéta-t-il en arquant les sourcils.

Baby le regarda en plissant les yeux. On avait demandé suffisamment d'explications sur son nom aujourd'hui.

— C'est toujours mieux que Shackleton, rétorqua-t-elle en désignant le puggle en manteau bleu d'un signe de tête.

— Mon père est très branché explorateurs. Réels et imaginaires.

— Mignon.

Baby caressa la fourrure couleur café du chien. Il bava de bonheur.

— Je pense que nous avons peut-être commencé sur de mauvaises bases.

Le jeune homme baissa les yeux sur ses orteils recouverts de merde et rit, surprenant Baby. Elle avait cru que ses sandales souillées l'auraient plus énervé. Peut-être que M. Short Rouge n'était pas si coincé, après tout.

Eh bien, comme on dit, quand on est dans la merde...

— Donc tu dois aller à Constance, reprit J.P.

Ses yeux noisette se posèrent sur sa jupe. Elle rougit et opina, elle avait l'impression d'être une publicité ambulante pour le snobisme de l'Upper East Side.

— Je vais à Riverside Prep. Dans le West Side. Je suis en première.

J.P. leva les yeux sur elle d'un air impatient.

Darwin se dirigea vers elle en se tortillant. Ses yeux étaient tellement exorbités qu'on aurait dit un chien de bande dessinée sérigraphié sur un T-shirt Urban Outfitters.

— Hé, toutou, enchantée d'avoir fait ta connaissance, dit Baby en caressant le chien et en fixant ses immenses yeux confiants. (Si seulement les hommes pouvaient être aussi simples.) Bonne chance, lança-t-elle au garçon d'un ton dubitatif, et elle commença à s'en aller.

— Hé, attends! hurla J.P. Les chiens ont vraiment l'air de t'aimer, et j'ai besoin d'aide. La fille qui les promenait s'est barrée avec notre jardinier.

Baby s'arrêta. Plaisantait-il? Elle se tourna vers lui, curieuse.

— Non, sérieusement. C'est plutôt mignon, en fait. Ils se sont mariés la semaine dernière et sont partis en lune de miel dans les chutes du Niagara. Donc, maintenant je me retrouve responsable des chiens, mais ça ne te dirait pas de me donner un coup de main?

Baby ouvrit la bouche, prête à dire non. Classique. Il voulait qu'elle fasse le sale boulot à sa place?

— Nous te paierions, bien sûr, reprit-il dans un grand sourire, comme si cela résolvait tout.

Baby y réfléchit. D'accord, ce type était franchement mal fringué, mais les chiens étaient adorables. De plus, ce serait forcément mieux que traîner son ennui en s'apitoyant sur son sort.

Ou de ficher la honte à sa sœur devant leurs nouvelles camarades de classe.

— Bien sûr, acquiesça Baby. Mais je ne veux pas de ton argent. Je considérerai cela comme un travail bénévole.

Le visage de J.P. s'illumina.

— Je te le revaudrai, promis! poursuivit-il, professionnel. Si tu pouvais me retrouver demain chez moi à 3 heures? J'habite sur la 68e et la 5e.

Il sortit une épaisse carte de visite de sa poche et la lui tendit.

Ce garçon avait des *cartes de visite*? Elle y jeta un bref coup d'œil, s'attendant à une espèce de titre qui sonnerait ridiculement faux, mais elle énonçait simplement son nom et son adresse en majuscules noires toutes simples. Il vivait dans l'appartement de luxe des Résidences Cashman. Bien sûr son immeuble portait son nom de famille.

Bien sûr.

— À demain, dit-elle sèchement en tournant le talon d'une de ses tongs et en rangeant la carte dans la poche de sa jupe en crépon de coton.

Derrière elle, l'un des chiens poussa un gémissement bas.

C'est ce qui s'appelle une vie de chien.

parfois il est bon de ressortir les cadavres du placard

Avery ne prit pas la peine de chercher Baby après les cours. Si sa sœur voulait se comporter en abrutie, alors qu'elle le fasse toute seule. Elle héla donc un taxi et ordonna sur-le-champ au chauffeur de la conduire à l'hôtel particulier de sa grand-mère sur la 61e et Park. La maison était un immeuble de style italien pêche clair à quatre étages qui aurait été plus à sa place à Charleston ou à San Francisco que dans l'Upper East Side. Avery adorait la façon dont il se distinguait des autres bâtiments de brique rouge tout autour, comme pour rappeler qu'Avery Carlyle première du nom avait été exceptionnelle et unique en son genre. Avery deuxième du nom espérait qu'elle avait quelque peu hérité de son je-ne-sais-quoi. Elle en aurait besoin, surtout après les débuts houleux de ce matin.

Elle poussa la lourde porte en fer et grommela quand elle vit Karen, l'auxiliaire juridique effacée qui avait un penchant pour des vêtements Ann Taylor dépareillés provenant du portant des invendus. Meyers & Mooreland, le cabinet d'avocats qui gérait la succession Carlyle, avait installé son bureau de fortune en plein milieu du salon pour gérer l'inventaire et l'évaluation des objets de valeur de grand-mère Carlyle. Avery détestait que les avocats aient ainsi envahi la maison. Quand elle avait appris que sa famille déménageait, elle avait supplié sa mère de les laisser vivre ici, et non dans l'appartement somptueux sur la 5e, mais les avocats et Edie avaient convenu que ce serait plus simple et plus efficace si les Carlyle habitaient ailleurs le temps qu'ils inventorient correctement la maison. Tant pis si leur appartement actuel, avec sa vague odeur de pipi de chat qui restait dans la chambre et l'autocollant de Yale impossible à décoller dans l'armoire à pharmacie, n'avait rien d'un chez-soi, contrairement à la maison de grand-mère Avery – du moins, quand celle-ci était dépourvue d'avocats. La première fois qu'elle était passée avec sa mère, Avery avait sauvé de la poubelle une dizaine de *Vogue* français d'époque.

Une véritable Samaritaine. Jusqu'à ce qu'elle les vende sur eBay pour pouvoir acheter le sac Birkin d'Hermès *vintage* qu'elle convoitait tant.

— Hé! cria joyeusement Karen sans lever les yeux de son ordinateur portable.

Avery l'ignora, monta l'escalier d'un bon pas et entra dans l'immense suite chambre à coucher de sa grand-mère. Elle se dirigea droit vers le dressing, et poussa un soupir de soulagement quand elle alluma les lumières tamisées. Plusieurs rangées de tailleurs Chanel étaient accrochés devant elle, classés selon leur couleur et leur longueur. Dans les années 1980, la tendance était aux minijupes moulantes en cuir et aux tops dos nus en soie Valentino et Nina Ricci, mais vers la fin de sa vie, grand-mère Avery n'était jamais sortie de chez elle autrement qu'en tailleur plus long et en chaussures Ferragamo, les poignets et le cou ornés de bijoux de bon goût. Avery ferma les yeux, espérant que quand elle les rouvrirait, sa grand-mère serait là. Elle avait toujours trouvé les mots pour qu'Avery se sente mieux. Mais quand elle ouvrit les yeux, tout ce qu'elle vit était un placard rempli de vêtements inanimés.

« Je pourrai les emprunter quand je serai grande ? » avait demandé Avery un jour, quand elle avait cinq ans, en brandissant une poignée de pendants d'oreilles et de joncs incrustés de diamants, cadeaux du comte de Lichtenberg.

— Non, avait répondu sa grand-mère d'un ton ferme en ôtant une bague de soirée particulièrement grosse en diamant et rubis du doigt de sa petite-fille. Des diamants comme ceux-ci ne sont que pour les femmes de plus de trente ans. Et le seul diamant plus beau que celui que t'offre un homme est celui que tu t'achètes toi-même.

Sur quoi, grand-mère Avery avait amené petite Avery effectuer sa première expédition chez Tiffany & Co, où elle avait eu l'autorisation de donner elle-même l'AmEx platine après avoir choisi des simples pendants en forme de rose sertis de platine.

Avery toucha le tissu en lin d'un tailleur rose et soupira. Si seulement grand-mère Avery était là pour qu'elles puissent boire une tasse de thé et trouver la meilleure tactique pour qu'elle remporte le poste à l'école. Depuis l'assemblée aujourd'hui, elle savait qu'il fallait qu'elle soit élue chargée de liaison au conseil des superviseurs. Mais celle-ci serait choisie par le corps étudiant et toutes les filles étaient manifestement liguées contre elle. Non seulement ça, mais il lui restait moins d'une semaine pour les gagner à sa cause.

« Que devrais-je faire ? » murmura-t-elle en passant un doigt sur la manche d'un tailleur gris poudre.

« *Organiser une fabuleuse soirée !* » entendit-elle pratiquement le tailleur Chanel lui murmurer en retour.

Avery s'éloigna d'un pas de la veste Chanel et flâna dans le dressing spacieux de sa grand-mère. Elle prit un cadre Tiffany en argent qui abritait une photo de grand-mère Avery quand elle avait vingt ans, avant son histoire d'amour avec Chanel. Elle portait un ensemble Yves Saint Laurent droit et des chaussures Dior. Avec ses longs cheveux épais et ses grands yeux, elle était sinistrement familière. Avery se tourna vers le miroir antique de plain-pied et tâcha d'imiter la posture pleine d'assurance de sa grand-mère qui disait : « *J'obtiens tout ce que je veux.* » Pas mal. Elle avait l'air glamour et compétente – clairement la bonne personne pour le poste.

Mais est-ce le bon look pour *se faire des amies* ?

Avery retourna dans la chambre sans se presser. Deux ours en peluche trônaient sur la petite table rose et blanc peinte à la main dans un coin. Un service à thé en porcelaine était exposé sur la table. C'était idiot et sentimental, un incontournable de la nursery avec lequel aussi bien Edie que les triplés avaient joué quand ils étaient petits. Quand grand-mère Avery fut devenue grabataire au printemps dernier, elle avait demandé que le jouet soit mis dans sa chambre pour lui rappeler ses propres réceptions. Elle prenait régulièrement le thé avec Anne Hearst et Senga Mortimer et avait gagné à sa cause toutes les meilleures hôtesses de New York en devenant meilleure qu'elles. Avery prit une tasse. Quelle meilleure façon de se présenter, elle et son passé, aux élèves en organisant un goûter démodé, hyper cool et unique ?

Faisant pratiquement de petits bonds de jubilation, Avery dévala l'escalier quatre à quatre, entra dans la salle à manger et ouvrit d'un coup les portes en verre du meuble à porcelaine de grand-mère Avery.

— Que faites-vous ? aboya Karen en tenant une poignée de dossiers et en plissant ses yeux bleus asymétriques. Elle portait des chaussures Nine West. Avery avait envie de la gifler.

— J'en ai besoin. Pouvez-vous me donner de quoi les emballer ?

ordonna-t-elle en poussant une tasse en porcelaine ultrafine vers elle.

— Je ne sais pas, hésita Karen.

— Ma mère me les a demandées. (Avery avait envie de frapper du pied. Après tout, les tasses appartenaient à *sa* famille, pas à Karen.) Elles sont à nous, ajouta-t-elle d'un ton insistant.

— D'accord, concéda Karen à contrecœur en détalant pour chercher du papier à bulles.

Elle avait beau savoir que c'était gamin et complètement hors contexte, Avery ne put s'empêcher de tirer la langue dans le dos de Karen. Pour décrocher le poste à Constance, il fallait être un leader, pas un serviteur. Quand on voterait pour elle, grand-mère Avery, où qu'elle fût, serait très, très fière.

Quand? On s'y voit déjà?

le blues de la pauvre petite fille riche

Jack s'adossa aux marches du Metropolitan Museum of Art en engloutissant la lie édulcorée de son café glacé. Jiffy Bennett, Geneviève Coursy et Sarah Jane Jenson, perchées autour d'elle, fumaient des Merits et jetaient de temps en temps des regards sur les skateurs qui exécutaient des figures sur les marches en contrebas. C'était là qu'elles finissaient toujours par atterrir quand elles n'avaient nulle part ailleurs où aller; et même si c'était un peu lassant, Jack se sentait chez elle. Elle était en première, année où elle décrocherait le premier rôle dans *Casse-noisette*, deviendrait la star de New York City, maintiendrait une moyenne de A+, et coucherait *enfin* avec J.P. Tout cela était parfait et allait se réaliser.

— Alors, qu'est-ce qui s'est passé avec cette fille en français? demanda Jiffy en tournant son visage parsemé de taches de rousseur vers le soleil et en soufflant un nuage de fumée en direction des skateurs.

— Baby Carlyle? (Sarah Jane réajusta ses lunettes.) Je ne sais pas. Ma mère a connu des Carlyle à l'école. Apparemment, c'est une grosse abrutie, elle aussi. (Sarah Jane avait des cils et des sourcils pratiquement blancs, ce qui lui donnait un air effarouché en permanence.) Mais leur grand-mère était *the* Avery

Carlyle, donc vous savez, ils ne peuvent pas virer Avery et Baby de Constance...

Elle se tut, dans un soupir.

— *The* Avery Carlyle? Qu'est-ce que cela veut dire? s'enquit Jack.

Parler des Carlyle la gonflait terriblement. Elle préférait aborder un sujet intéressant.

Comme elle, par exemple?

— Tu ne sais pas qui est Avery Carlyle? fit Sarah Jane, l'air encore plus surpris que d'habitude. C'était l'une de ces vieilles philanthropes. Elle fréquentait Brook Astor, Annette de la Renta... toutes. L'une de mes tantes était amie avec elle. Apparemment, elle a eu des aventures avec au moins un membre de la famille royale dans chaque pays d'Europe. Ma tante a affirmé que c'était son objectif.

Sarah Jane opina sommairement.

Merci, Miss *Points de Vue Images du Monde.*

— On s'en fout, fit Geneviève, loyale.

Elle s'allongea sur les coudes de sorte que ses seins sortaient pour le plaisir des yeux du troupeau de garçons de St. Jude qui passèrent devant elles en portant un frisbee.

— Ce n'est pas comme si elle pouvait remporter cette élection, pas vrai? Tu vas gagner.

Geneviève se protégea du soleil et regarda Jack en plissant les yeux. L'an dernier, elle avait été la meilleure amie de Jack. Mais elle avait passé l'été à L.A. avec son père producteur, où elle avait eu une aventure de moins de cinq minutes avec Breck O'Dell, la star d'une espèce de film d'été débile. Elle était devenue hyper imbue d'elle-même. Non pas que Jack fût jalouse ni rien. Avoir une liaison avec une vedette de films de série B était limite vulgaire.

— Tu devrais carrément te lancer. Tu pourrais faire quelque

chose pour l'auditorium, les miroirs et les uniformes, et tu serais responsable de l'événementiel – on pourrait carrément faire une grosse fête avec les garçons de Riverside Prep aux frais de l'école. Ou peut-être de St. Jude's? Qu'en penses-tu? demanda Jiffy avec enthousiasme en tripotant la documentation pourpre qui détaillait les missions de la chargée de liaison. (Elle portait deux couettes de chaque côté de la tête, lui donnant un look de fille de ferme, dans la tentative d'être aussi avant-gardiste qu'Anna Sui, mais elle avait en réalité l'air d'un caniche.) Tu voudrais peut-être organiser une soirée avec Riverside Prep à cause de J.P., non?

— Peut-être, sourit Jack.

Pour la première fois, le poste n'avait rien d'une activité minable destinée à gonfler son C.V. Acheter de nouveaux uniformes pour l'école et organiser des soirées pourraient même être super cool. Et comme elle était en lice avec Elisabeth Cort, la fille aux problèmes de vessie qui avait malheureusement une silhouette en forme de camion et une haleine qui sentait toujours le thon, et avec Avery Carlyle la kleptomane, elle doutait être obligée de devoir faire campagne. Empocher le poste de CLACS lui garantirait un dossier scolaire absolument brillant, et lui permettrait d'être encore plus active socialement, sans lever le petit doigt.

— Ouh là là! Breck vient de m'envoyer un texto! Il sera en ville ce week-end! hurla Geneviève, toute rouge, en sortant son Tréo, alors que Sarah Jane et Jiffy s'agglutinaient autour du tout petit écran.

Jack roula des yeux.

— Bon, je me casse.

Elle se leva, dépoussiéra le dos de sa jupe en crépon de coton. Elle rentrerait se changer chez elle et passerait l'après-midi avec J.P. Contrairement à Geneviève, elle avait un *vrai* petit ami.

Jack rentra chez elle, sur la 63e entre la 5e et Madison, tout sourires en apercevant l'hôtel particulier majestueux recouvert de lierre, avec des jardinières aux fenêtres, et à l'entrée ingénieusement cintrée. Mais en s'approchant, elle marqua une pause. Deux camions de déménagement étaient garés devant. Sa mère, agrippée à la balustrade en fer forgée qui bordait les marches, fumait Gitane sur Gitane, comme si sa vie en dépendait.

— Maman? demanda-t-elle, en proie à un terrible doute.

Les yeux de Vivienne étaient aussi rouges que ses cheveux et des traînées de mascara avaient séché en rivières bizarres le long de son visage pâle. Jack se rapprocha et se campa sous sa mère sur le perron.

— Maman? répéta-t-elle en regardant autour d'elle.

Avaient-ils décidé de redécorer? Trois hommes en surpoids transbahutaient leur salle à manger George Nakashima à bout de bras.

— Ton père…

Vivienne poussait des sanglots bruyants, affreux et mâtinés de français, comme si elle auditionnait pour *Phèdre*, la tragédie française qu'ils avaient lue l'an dernier dans le cours de Mme Rogers : une reine grecque complote pour se venger de son ex-amant avant de se mettre dans tous ses états.

— Il a vendu la maison et les meubles. Tous. Tout est parti. (Elle se moucha dans son mouchoir de soie rouge et renifla.) *Bâtard**!

Son visage se voila solennellement.

Deux autres déménageurs fumaient des Marlboro près du lit à baldaquin en noyer de Jack. Son lit lui avait toujours donné l'impression d'appartenir à la famille royale. Son dessus-de-lit à œillets blancs immaculé avait glissé et gisait désormais en tas sur le trottoir lézardé.

— Nous sommes… *SDF*? s'exclama Jack, incrédule.

Sa mère réagissait peut-être de façon excessive. Ce ne serait pas inhabituel. Chaque fois qu'elle parlait au père de Jack, elle balançait le téléphone contre le mur. Elle en était à six Bang & Ofulsen cette année.

— Nous habiterons dans le grenier à l'étage, expliqua Vivienne. Ce sera comme quand j'étais petite, quand je vivais dans le cinquième arrondissement et que je devais descendre chercher de l'eau dans le hall. C'est ce que nous devons faire. Un artiste doit toujours souffrir, conclut-elle théâtralement en faisant un geste avec sa cigarette qui continuait à se consumer.

Jack plissa les yeux. Le grenier était une série de pièces situées au dernier étage de leur hôtel particulier. Dans le passé, son père qui travaillait désormais comme conseiller en investissements chez Citigroup avait menacé Vivienne d'y habiter si jamais elle continuait à dépenser son argent. C'était devenu une espèce de blague entre Jack et sa mère ; elles s'en servaient d'espace de rangement pour les articles les plus extravagants et les plus rarement utilisés qu'elles achetaient lors de folles virées shopping avec les cartes de crédit de Charles.

Hé, il faut bien que les bottes Gucci en peau de lézard bordées de mouton se rangent *quelque part* en été.

— Ton père m'a dit qu'il avait essayé de te prévenir, mais tu ne l'as jamais rappelé. Que j'avais eu ma chance. Il n'a jamais compris que j'étais une artiste ! Une artiste ne peut simplement pas *travailler* ! Quoi, il voulait que je travaille dans un bureau, que je réponde au téléphone ? gémit Vivienne en tordant ses petites mains.

Son minuscule corps de danseuse, autrefois souple et élégant, semblait aujourd'hui assurément fragile. L'un des déménageurs regarda l'autre en arquant les sourcils, qui remontait son pantalon et exposait la raie de ses fesses.

— Tu savais qu'il allait faire ça ? s'écria Jack.

Elle pensa à son vieillard de père, à sa femme bien plus jeune et à la marmaille de demi-frères et sœurs qui vivaient dans l'hôtel particulier de Perry Street. Connards.

— Eh bien… oui, reconnut Vivienne.

Les rides du fumeur sur son front se plissèrent.

— Et que suis-je censée faire ? s'exclama Jack dans un cri perçant en agrippant la balustrade pour ne pas tomber.

Elle croyait qu'elle allait vomir.

—Ah, *chérie**. (Vivienne se leva et l'enveloppa dans une étreinte. Jack sentit la moindre de ses vertèbres, et l'odeur écœurante de beaucoup trop de Chanel n° 5.) Ce sera une bonne chose que tu apprennes à souffrir.

Vivienne se détacha de son étreinte et disparut dans un grand geste du bras dans l'entrée de service recouverte de lierre.

Jack, incrédule, observa la silhouette anormalement fragile de sa mère se retirer.

L'un des déménageurs souffla en transportant une bergère garnie d'une ruche du salon à la porte. Comment pouvaient-ils être si nonchalants ? Ne comprenaient-ils pas qu'ils emportaient toute sa *vie* ?

Jack tâcha de recouvrer son sang-froid. Dans ses cours de danse, il y avait autrefois une séance de méditation où l'on apprenait à se calmer les nerfs en choisissant un mot et en le répétant dans sa tête. Elle essaya de le faire en imaginant sa colonne vertébrale alignée et son mot : *parfait*. Le prof de danse avait souhaité qu'elle en choisisse un autre – comme *se battre* ou *se concentrer* – et l'avait avertie que la perfection était difficile à atteindre. Elle l'avait tout de même choisi.

— Bonjour !

Jack se retourna pour voir une petite fille blonde descendre les marches en sautant. Âgée de cinq ans environ, elle portait un tutu rose et les ailes assorties de FAO Schwarz. Jack regarda la petite fille innocente en plissant les yeux. Une nouvelle famille habitait déjà dans sa maison ? Ses parents pouvaient provoquer tous les drames qu'ils voulaient, mais comment son père pouvait-il reléguer Jack au grenier, comme une vieille nippe ?

Ou des bottes en lézard ?

Elle ferma les yeux et se massa les tempes. Elle espérait que quand elle les rouvrirait, la petite fille aurait disparu et que sa vie serait revenue à la normale.

— Je m'appelle Satchel ! J'habite ici maintenant !

Jack rouvrit les yeux d'un coup. La petite fille dansait au-dessus d'elle sur les marches. *Ses* marches.

— Satchel[1] ? croassa Jack, incrédule.

Elle jeta un œil à son sac à main Givenchy. La vue du cuir onctueux la réconforta et elle était bien contente qu'il lui reste un peu de dignité. Elle redressa les épaules et allongea le cou. *Parfait.*

Elle réserverait une chambre au St. Claire, voilà tout. À moins… à moins… à moins que son père ait aussi annulé les cartes de crédit ?

Quelle horreur* !

1. Satchel : cartable en français. *(N.d.T.)*

à st. jude's, c'est un pour tous et tous pour un...

— Ok, les mecs, je sais que c'est la rentrée, mais qu'est-ce que vous êtes lents ! cria Siegel le coach depuis le poste de maître-nageur en métal branlant sur la 92e Rue Y, où s'entraînait l'équipe de St. Jude's tous les jours à 15 heures. Il émit un coup de sifflet strident tout en vérifiant discrètement ses abdos dans la surface réfléchissante de son poste. Âgé de vingt-cinq ans, il était jeune diplômé de Stanford et prenait son pied quand il voulait, comme il le rappelait à ses nageurs dès que l'occasion se présentait.

Dans le couloir n° 3, Rhys nageait le crawl sans énergie. Il sentit qu'Owen le dépassait et le distançait quand il rejoignit le bord de la piscine à toute vitesse. Bien qu'il eût l'habitude d'être le plus rapide, Rhys s'en moquait éperdument. Il glissa lentement vers le bout du couloir.

— Sterling, ne bouge pas une seconde !

Le coach descendit de son perchoir d'un bond et se dirigea vers Rhys, ses mules Adidas produisant un bruit d'écrabouillement sur le bord de la piscine. Il avait la mâchoire carrée, des jambes maigres et un torse hypermusclé que les femmes adoraient, à ce qu'il prétendait.

Rhys se hissa sur le bord de la piscine mouillé, avec un mauvais pressentiment.

— Sterling. (L'entraîneur passa les mains dans ses cheveux châtain roux ébouriffés.) Tu es arrivé en retard, énonça-t-il.

Rhys opina et jeta un œil à l'eau sur le carrelage. Une flaque ressemblait à une espèce de cœur. Il y mit le pied et l'eau s'éparpilla sur le carrelage bleu en gouttelettes trop liquides.

— Désolé, je pensais à autre chose, dit-il sans regarder le coach dans les yeux.

En fait, il avait passé le premier quart d'heure de l'entraînement à pleurer dans les toilettes rarement utilisées près du labo de sciences à l'étage, tout en regardant toutes les photos qu'il avait prises avec Kelsey au printemps dernier. Elle avait l'air tellement aux anges qu'il ait son bras autour de ses épaules. Qu'est-ce qui s'était mal passé?

— *Oh-kéééééé*, dit lentement Siegel le coach en faisant traîner le mot sur plusieurs syllabes. (Rhys grimaça. Cela ne suffisait-il pas que sa petite amie l'ait piétiné, mais il fallait qu'en plus il se fasse tirer les oreilles à l'entraînement?) Je sais que c'est la rentrée et tout et tout, mais ce n'est pas ton genre de manquer les toutes premières minutes. Tu as été absent pendant tout l'entraînement! Le nouveau, Carlyle, a fait un meilleur temps que toi!

L'entraîneur le regarda en plissant ses yeux bleu bain de bouche en attendant une autre explication.

— Désolé, je dois m'occuper de choses personnelles, marmonna Rhys.

La phrase « *J'ai quelqu'un d'autre* » n'arrêtait pas de faire du bruit dans sa tête. Était-ce vrai? Qui cela pouvait-il raisonnablement être? Un mec de cap Cod? Un type de Riverside Prep que Kat avait rencontré lors d'une soirée?

— Problèmes de fille?

Le coach se ragaillardit.

— Non… juste des trucs de classe, dit rapidement Rhys.

— Bien, espérons que ce n'était qu'un début difficile car je ne peux pas me permettre que mon capitaine nage comme toi aujourd'hui. (Rhys opina et le coach le frappa dans le dos.) Et dis-le-moi si ce sont des problèmes de filles. Les nanas peuvent te tuer, ajouta-t-il d'un air entendu.

Ouais, mais qu'est-ce que nous le valons bien !

Rhys se traîna jusqu'aux vestiaires, où Jeff Kohl et Ian McDaniel se faisaient passer une flasque en argent de bourbon Maker's Mark. La pièce super humide sentait le chlore, la transpiration et les pieds.

— C'est *niiiiiiiiiice*! dit Ian.

En tendant la flasque à Owen, il fit une imitation de Borat tellement mauvaise qu'elle en était ridicule. Owen secoua la tête. À ce moment-là, Rhys passa la porte en trombe et ouvrit son casier d'un coup.

— Alors mec, j'ai été trop nul, lança Rhys en sortant de l'eau vitaminée de la poche latérale de son sac de piscine Speedo plein à craquer et en buvant une longue gorgée à même la bouteille.

— Ça avait l'air d'aller, répondit Owen en essorant distraitement sa serviette.

Maintenant qu'il était sorti de l'eau, il avait bien du mal à ne pas penser à Kat ou Kelsey ou quel que fût son putain de prénom. Depuis combien de temps Rhys et elle sortaient-ils ensemble ? S'aimaient-ils ? Pourquoi ne lui avait-elle même pas dit son nom ? Rhys se doutait-il qu'elle l'avait trompé cet été ?

— Non, j'ai été vraiment nul, répéta Rhys.

— Hé, mec, il te faut une bière ! cria Hugh Moore, un élève de première musclé.

Il jeta une Budweiser par-dessus la rangée de casiers. La cannette tomba à terre et grésilla en lâchant de la mousse dans un sifflement.

— Pas maintenant, *man*, répondit Rhys.

Il savait que, en tant que capitaine, il devrait leur servir un discours à la con sur le fait qu'ils n'étaient pas censés picoler pendant la saison, et encore moins dans les vestiaires. Sauf qu'il n'en avait vraiment rien à faire. Il avait plutôt envie de pleurer.

Encore.

— Tu sais, la fille que je t'ai présentée à l'heure du déjeuner? Kelsey? demanda Rhys.

Son visage se tordit quand il s'assit lourdement sur un banc de bois usé.

Owen opina et dégagea ses cheveux blonds mouillés de ses yeux. Comment pourrait-il oublier? Il feignit de fouiller dans son sac Speedo sans regarder Rhys. À l'autre bout des vestiaires, Hugh, Ian et quelques autres types attrapèrent Chadwick Jenkins, l'un des troisièmes.

— On va te raser les sourcils, *man*! crièrent-ils allégrement en entraînant le troisième terrorisé vers une rangée de lavabos.

— Elle a rompu avec moi dès que tu es parti, expliqua Rhys d'un ton égal sans se soucier que tout le monde l'entende. Elle a dit qu'elle avait quelqu'un d'autre.

Owen posa son sac Speedo par terre et s'assit à côté de Rhys. Kat – *Kelsey* – avait rompu avec Rhys? Elle était de nouveau célibataire? *Il y avait quelqu'un d'autre?* Cela signifiait-il…?

— Attends, ta petite copine a rompu? répéta Hugh, incrédule, en libérant Chadwick. (Il s'assit à côté de Rhys sur le banc.) Vas-y, raconte-moi tout.

Il passa un bras amical autour des épaules de Rhys et ouvrit une autre cannette de Bud, provoquant un jet de mousse qui atterrit aux pieds d'Owen.

— Je ne sais pas quoi dire. C'était tellement soudain. Elle m'a dit qu'il y avait quelqu'un d'autre… et je ne sais pas qui cela pourrait être, à part un connard qu'elle aurait rencontré au Cap. Qui que ce soit, je lui casserai sa putain de sale gueule, marmonna Rhys.

Owen réprima un sourire ; il se sentait à la fois coupable et exalté. Kat avait-elle rompu avec Rhys parce qu'elle désirait être avec *lui* ?

Et dire que les garçons sont censés n'y rien connaître.

Hugh le soutint d'un hochement de tête.

— C'est sérieux. (Des gouttelettes d'eau tombèrent en cascade de son bras sur la poitrine de Rhys.) Hé les gars ? Venez par ici.

Owen jeta un œil à la flopée de garçons, dont la plupart portait encore leur Speedo et certains avaient les sourcils qui venaient d'être rasés.

— OK, dit Hugh en se levant sur le banc et en agitant la cannette de bière ouverte en l'air. (Ses côtes saillantes donnaient à sa poitrine un aspect presque concave.) Je viens d'apprendre que Rhys Sterling, notre capitaine et chic type sur toute la ligne, s'est fait piétiner le cœur par une fille de Seaton Arms. (Un grommellement collectif résonna dans les vestiaires.) Maintenant je sais aussi bien que vous que cela arrive aux meilleurs d'entre nous. Et nous savons que Rhys en trouvera une autre. Mais en attendant, je propose un défi au nom de la solidarité. (Il regarda pompeusement autour de lui et s'éclaircit la gorge.) Tant que Rhys sera abstinent, nous serons abstinents. Et nous le prouverons grâce à nos barbes.

Il caressa son menton ciselé de sa main libre et passa la pièce en revue.

— C'est quoi ce bordel ? hurla Ken Williams.

Il pesait plus de quatre-vingt-dix kilos et ressemblait plus à un rugbyman qu'à un nageur longue distance.

— Nous allons tous laisser pousser nos poils du visage jusqu'à ce que Rhys ait de la chance avec une fille. En attendant aucun d'entre nous ne devra baiser. Et Jenkins, cela veut dire aussi ne pas se tripoter, hurla Hugh. Qui est partant ?

Un par un, les garçons de l'équipe de natation poussèrent un cri et tapèrent dans la paume de Rhys, assis sur le banc, qui contemplait le sol mouillé d'un air désespéré.

— Vous n'êtes pas obligés de faire ça, marmonna-t-il.

Le soutien des garçons était sympa et tout et tout, mais son rôle ne serait-il pas plutôt de les galvaniser pour qu'ils fassent un bon temps à Conferences que de leur montrer qu'il était une lavette à cause d'une fille ?

— Si Rhys ne se fait aucune minette, alors nous non plus ! hurla Hugh.

Owen regarda attentivement les garçons, les bras maigrichons de Chadwick et le torse de Ken. Il se demanda si l'un deux pourrait vraiment s'en faire une, un jour. Quoi qu'il en soit, il espérait que c'était plus un geste de dévouement hypothétique et non un véritable pacte. Owen n'avait jamais passé plus d'une semaine sans embrasser une fille.

Et nous l'aimons pour cela.

— Merci, marmonna Rhys à Hugh.

— De rien. (Hugh sourit.) De plus, ma petite amie est en France cette année, j'habite donc à Nobaiseland avec toi, mon pote.

Les garçons sortirent un par un en frottant leur menton prépubère comme s'ils pouvaient faire apparaître une barbe de plusieurs jours en la massant.

Rhys réussit à produire un rire faible puis se tourna vers Owen :

— Je me sentirais bien mieux si je savais qui était ce type, lui confia-t-il quand le vestiaire se vida. (Il était si calme que Rhys pouvait entendre le ronronnement sourd des néons au-dessus de sa tête, qui donnaient à ses bras une étrange teinte bleue.) Si tu trouves ce mec, pourrais-tu lui arracher les couilles de ma part ?

Il s'efforça de rire, mais produisit un horrible bruit comme s'il s'étouffait.

— Bien sûr, répondit Owen, coupable. Je ne connais pas vraiment grand monde…

— Ouais, je sais, mais si tu entends parler de quelque chose. Ou si tu la vois, elle te parlera peut-être. Fais-le-moi savoir si tu apprends quoi que ce soit. Tout ça, c'est la faute de ce gros con.

Rhys se leva et donna un coup de pied dans son casier. Un bruit métallique aigu résonna dans le vestiaire vide.

— Sterling, ne va pas te casser un os à cause d'une nana ! cria le coach depuis le minuscule bureau adjacent. Et surtout pas un os en particulier ! ajouta-t-il dans un gloussement.

Rhys devint tout rouge. Merde. Même le coach savait qu'il s'était fait plaquer. N'y avait-il pas moyen d'éviter que la nouvelle se répande ?

Demander à une équipe de garçons mignons de faire vœu d'abstinence. *Comment* se taire ?

 **gossipgirl.net**

Avertissement : tous les noms de lieux, personnes et événements ont été modifiés ou abrégés afin de protéger les innocents. En l'occurrence, moi.

Salut à tous !

Il est minuit et le premier jour de classe est officiellement terminé. À présent, un peu d'économie domestique : je sais qu'un été sans uniforme a dû rouiller certaines d'entre nous et que l'on ne sait plus comment tirer le meilleur parti de nos uniformes, alors prenons un peu de temps pour nous rafraîchir la mémoire.

CODE VESTIMENTAIRE : CE QU'IL FAUT FAIRE ET NE PAS FAIRE

Plus c'est court, mieux c'est, mais n'oubliez pas de porter *quelque chose* sous votre jupe. Nous sommes à New York, pas à L.A. et sortir sans La Perla ne fera que vous assurer une journée d'inconfort garanti. De plus, c'est risqué. Et, hum, dégueulasse.

Il n'y a rien de moins sexy qu'un pull Chloe en cachemire taché aux aisselles. Alors ne vous couvrez pas trop. Et je vous en conjure, ne lésinez pas sur le déodorant.

On peut agrémenter la règle des chaussures noires de tonnes de façons différentes. Mais celle qui compte, c'est la règle des trois

M : compensées Marni, talons bobines Manolo et Marc Jacobs. Il n'y a pas meilleur moyen de s'exprimer qu'à travers les chaussures. Ou dans mon cas, les Choos.

ON A VU :

Un camion de déménagement devant l'hôtel particulier de **J**. Notre princesse de l'Upper East Side pourrait-elle nous (halètement !) quitter ? **A**, avec deux sacs géants de tasses de thé antiques au bout des bras monter dans un taxi. Des petites crêpes, quelqu'un ? **O**, descendre du Gatorade bleu les cheveux mouillés, un sourire jusqu'aux oreilles en sortant de la **92e Rue Y**. Pourquoi tu es si heureux, beau gosse ? **R,** pleurer devant un immeuble sur la 5e. On se prépare à la production interscolaire de *Romeo et Juliette* ou on vit une véritable tragédie romantique ? **K**, acheter de nouveaux Cosabella chez **Barneys**. Nous savons tous qu'une nouvelle lingerie ne peut signifier que deux choses : *la* perdre avec **R** ou perdre **R** pour quelqu'un d'autre… La maman de **J**, aussi chez Barney's, essayer de rendre les bottes en mohair Gucci aux genoux de la saison dernière. Bien sûr qu'elles étaient une erreur, mais tu ne peux pas demander à **Barneys** de payer pour tes pauvres goûts en matière de mode. Tsk, tsk, tsk !

VOS E-MAILS :

Q: Chère Gossip Girl,
J'ai vu **A** devenir super copine avec cette cinglée tatouée à l'assemblée de Constance. Tu crois qu'elles sont ensemble ? Du genre, *ensemble ensemble* ?
— 2GIRLTROUBLE

R: Chère 2,
Pourquoi ? Tu es jalouse ?
— GG

Q: Chère GG,
Ton blog é merdik. T kune pauvre frimeuse 2 merd et jv carrément trouV ki T.
— VRAIEUESGIRL

R: Chère VRAIEUESGIRL,
Tu sembles éprouver (éprouV ?) une espèce d'hostilité mal placée. Sache que l'on ne peut pas être plus de l'Upper East Side que moi – et que je ne tremble pas dans mes bottes Christian Louboutin en peau d'anguille à cause d'un message bourré de fautes. Si tu ne peux pas supporter la vérité, tu devrais peut-être partir vivre ailleurs. Comme à Weehawken. Mais ne nous battons pas !
— GG

Maintenant que le premier jour est terminé, nous pouvons porter notre attention sur des choses plus importantes. Du genre, qui organisera la première soirée de l'année ? Tous les paris sont sur **J**. Mais je n'ai jamais été du genre à parier...

Vous m'adorez, ne dites pas le contraire,

gossip girl

stratégies de campagne 101

Mardi matin avant les cours, Avery sortit discrètement de l'appartement des Carlyle, ravie que Baby ne fût pas encore réveillée.

— Mademoiselle Carlyle, la salua vivement le portier en uniforme gris, et Avery ne put s'empêcher de sourire. L'air était frais, des oiseaux gazouillaient bruyamment, et les trottoirs scintillaient d'eau, bien qu'Avery ne se souvînt pas qu'il était tombé des trombes d'eau. Il en était ainsi de New York City : chaque jour marquait un nouveau départ, la pluie emportait la journée de la veille.

Et aujourd'hui était clairement un autre jour. Hier soir, elle s'était enfermée dans sa chambre pour confectionner les invitations à son goûter. Elle les avait toutes écrites à la main sur d'élégantes cartes Tiffany & Co et avait attaché chaque carte à la poignée d'une tasse de thé, fine comme une coquille d'œuf. Elle avait cru que ce serait drôle et exceptionnel, mais maintenant qu'elle portait deux immenses sacs lavande Bergdorf remplis de porcelaine enveloppée dans du papier bulle, elle n'en était plus si sûre. Elle avait l'impression d'apporter quelque chose pour un *show and tell*[1].

---

1. Activité scolaire où l'enfant doit apporter en classe un objet (ou autre) familier et le raconter à ses camarades. *(N.d.T.)*

Avery approcha de l'angle de la 90ᵉ Rue et remarqua un groupe de premières qu'elle reconnut vaguement pour les avoir vues à la réunion, rassemblées sur les marches d'un hôtel particulier, le coin préféré des lycéennes de Constance Billard pour traîner, fumer et échanger des ragots. Les filles tiraient déjà furieusement sur des Merit Ultralight bien que la première sonnerie n'intervînt pas avant une bonne demi-heure. Avery sentit le trac la prendre au ventre, mais se fendit d'un grand sourire.

— Salut Jiffy !

Elle salua l'élève de première au regard charbon.

Jiffy leva les yeux de son magazine *W* qu'elle gribouillait frénétiquement au stylo rouge. Avery lui fit un sourire chaleureux. Elle savait que Jiffy traînait avec Jack Laurent, mais avec sa frange châtain juste au-dessus des sourcils et ses grands yeux noisette, elle avait l'air d'être la plus sympa de toutes.

— Oh, salut !

Jiffy dégagea sa frange de ses yeux et gratifia les autres filles perchées sur les marches d'un regard qu'Avery connaissait, pour avoir passé des années à adresser ce genre de regard qui signifiait : *Qu'est-ce qu'elle me veut donc, bordel ?*

Avery prit son courage à deux mains et sortit la première invitation du sac.

— J'organise une fête après les cours aujourd'hui. Juste entre filles, pour que je puisse rencontrer tout le monde et parler de l'année scolaire à venir. (Avery avait envie de rentrer sous terre. Elle avait l'air si ridiculement bourge.) Et glander, s'amendat-elle.

On peut apporter nos ours en peluche ?

— *Ohhh-kéééé*, dit lentement Jiffy. (Avery lui tendit une tasse de thé et en sortit une autre.) Oh, super ! s'exclama Jiffy en examinant la porcelaine fragile et en remarquant l'invitation attachée à sa poignée. Regarde ça, c'est adorable, dit-elle en la faisant passer à la fille assise à côté d'elle, aux sourcils si blonds qu'ils disparaissaient dans son front.

— Je suis ravie qu'elles te plaisent !

Avery déposa son sac sur les marches en béton lézardé, prête à distribuer les autres. Déjà une petite foule s'était formée autour d'elle. Les filles de Constance aimaient ses invites ! Elle se dit que, quelque part, sa grand-mère lui souriait.

— Qu'est-ce que c'est ? fit une voix derrière elle. Elle fit volteface pour voir Sydney, la fille bizarre à côté de qui elle avait été obligée de s'asseoir lors de la réunion de la veille. Elle portait un T-shirt marron qui disait « YOUR RETARDED » sous son blazer de Constance Billard.

— Salut, la salua Avery, mal à l'aise, essayant de retenir l'attention des autres filles. J'organise juste un petit rassemblement. Pour ce truc de chargée de liaison du conseil des superviseurs. Savais pas si cela t'intéresserait.

Elle haussa les épaules, espérant que la réponse soit non.

— Ce soir ?

— Ouais, répondit Avery en tendant une invitation à Geneviève, la fille à la poitrine généreuse, amie avec Jack.

— Merci.

Geneviève prit une tasse de thé et la fourra dans son sac Longchamp orange, sans prendre la peine de regarder l'invitation attachée. Elle jeta sa cigarette par terre, dangereusement près des *low boots* noires Morgane Le Fay d'Avery.

— Je peux en avoir une ? demanda Sydney, impatiente, en écrasant la cigarette de Geneviève avec ses Doc Martens *vintage*.

— Bien sûr.

Avery lui donna une tasse de thé, ne souhaitant pas être grossière. Sydney était une première de Constance, après tout, et qui était-elle pour juger? Elle espérait juste que si celle-ci venait, elle enfilerait des chaussures légèrement plus féminines.

Avec un peu moins d'acier aux orteils?

— Merci!

Sydney prit la tasse de thé et feignit de boire dedans, un sourcil arqué.

— À ce soir, tout le monde!

Avery agita la main au groupe de filles et tourna les talons. Elle descendit rapidement la rue en direction des portes bleues de Constance, voulant s'assurer qu'elle distribuerait les invitations avant la première heure. Au déjeuner, tout le monde ne parlerait que de cela.

Bien sûr qu'elles en parleraient, mais qu'en diraient-elles?

b se fait des amis en fourrure

Baby bâilla bruyamment dans le cours de cinéma de dernière heure de M. Beckam, ce qui fit glousser les autres. Elle les regarda en levant ses grands yeux noisette au ciel. Peu importait. C'était la dernière heure de cours de la journée et franchement, elle se moquait éperdument de *Manhattan*, le film de Woody Allen. Entendre M. Beckam s'enthousiasmer sur New York City qui était un personnage à part entière dans le film lui donnait envie de se lever pour hurler des gros mots.

Et ce ne serait pas la première fois.

Ce film était débile, de toute façon. Elle l'avait regardé une fois avec sa mère et n'avait cessé de se demander pourquoi une fille aussi jeune et mignonne que Mariel Hemingway avait pu craquer pour un vieux loser débile comme Woody Allen.

— Avez-vous quelque chose à ajouter à notre discussion sur le film, mademoiselle Carlyle? demanda M. Beckam.

Il se jucha sur son bureau comme un oiseau géant et la gratifia d'un sourire lascif.

On dirait que le film a donné des idées à quelqu'un.

La sonnerie retentit. Baby poussa pratiquement le postérieur maigrichon de M. Beckham de son bureau, jeta son cahier dans sa besace Brooklyn Industries vert citron et s'en alla comme une flèche.

Elle était censée commencer sa punition pour Constance Billard en aidant Irène, la dame de service âgée de soixante-treize ans, à éplucher la boîte de suggestions de la cafétéria. Baby s'arrêta une seconde et contempla la splendide cafétéria tout en miroirs et bois blond, se laissant tenter pour voir si, à la dernière minute, elle céderait et essayerait d'être une gentille fille. Pas moyen. Elle tourna les talons et descendit le couloir à longues enjambées en direction des grandes portes bleues qui menaient vers la liberté.

Prise numéro deux!

Elle marqua une pause pour regarder le tableau d'affichage accroché dans le hall principal, et lire les annonces des différents clubs et activités.

INITIATION AU DROIT DES SOCIÉTÉS : *Non.*

CLUB DE COMPOSITIONS FLORALES : *Pas question.*

CLUB DE TISSAGE DE PANIERS : *Ouais, bien sûr.*

Quoi? Pas de Club pour les Désillusionnées en Manque de leur petit copain? Si elle devenait socialement responsable comme sa sœur et en lançait un?

— Tu t'inscris quelque part?

Avery se faufila à son côté et déposa un gros sac de shopping lavande par terre. Elle plaça ses cheveux blonds derrière ses minuscules oreilles et caressa ses diamants d'époque.

— Rien n'est vraiment mon truc là-dedans, répondit Baby en haussa ses petites épaules et en regardant sa sœur. (Avery était toute rouge et avait l'air heureuse. Même ses miniboucles d'oreilles camélia en diamant étincelaient un peu plus.) Comment s'est passée ta journée?

— Super! s'enthousiasma Avery. J'organise un petit rassemblement ce soir chez grand-mère.

— Maman est au courant?

Baby plissa les yeux. Pourquoi Avery ne lui en avait-elle pas parlé la nuit précédente? Quand elle était rentrée, Avery était restée dans sa chambre et n'en était même pas sortie quand Owen avait annoncé qu'il commandait sa première pizza new-yorkaise authentique.

— Ouais, pas de problèmes, répondit rapidement Avery. Tiens, ce sont les invitations.

Elle sortit une tasse en porcelaine du sac Bergdorf et Baby reconnut le motif d'emblée. Elle en avait cassé une quand elle avait quatre ans.

— Merci, je n'ai pas besoin de tasse de thé.

Baby la repoussa pratiquement.

— Alors tu vas venir?

Le front d'Avery se plissa.

— Bien sûr, dit Baby en hochant lentement la tête.

— Ok, alors d'accord, à plus, j'imagine, poursuivit Avery d'un ton incertain comme si elles étaient des étrangères.

Baby opina et feignit d'être absorbée par les *flyers* rouges jusqu'à ce qu'Avery s'éloigne d'un pas traînant. Enfin elle se dirigea vers les portes bleu roi de Constance, les mains dans les poches. Elle sentit le coin de quelque chose de dur et sortit la carte de visite ivoire de sa poche pour l'examiner. Ce garçon était-il sérieux quand il lui avait proposé de promener les chiens pour lui?

Et n'avait-elle rien de mieux à faire?

Baby descendit la 5e Avenue jusqu'à ce qu'elle tombe sur l'adresse sur la carte. Elle leva les yeux sur les *C* dorés dos à dos accrochés au-dessus des portes en verre de l'immeuble. Des lettres en laiton de près d'un mètre disaient CASHMAN COMPLEX. Résidences Cashman. Baby fronça le nez. C'était encore plus tape-à-l'œil qu'elle l'avait imaginé.

Le voir, *c'est* le croire.

Le portier, assis derrière un imposant bureau laqué de noir, arborait un uniforme bleu avec des pompons en or qui pendillaient sur ses épaules et sur son ventre. D'un certain âge, on aurait dit qu'il portait le même uniforme depuis qu'il avait seize ans.

— Je suis venue voir ce garçon, annonça Baby en faisant glisser la carte froissée de J.P. sur la réception.

Elle ne s'était pas encore habituée aux portiers. On aurait dit des reliques d'une autre ère, comme les chouchous ou les moustaches en guidon de vélo.

Quant à cette dernière, ça reste à voir.

— Prenez l'ascenseur privé à l'extrême gauche.

Le portier lui adressa un sourire de grand-père qu'elle lui rendit. Elle appuya sur le bouton pour l'appartement de luxe et retint son souffle quand l'ascenseur monta à toute allure les vingt-six étages jusqu'au dernier. Les portes s'ouvrirent et elle sortit en trébuchant dans l'appartement même.

J.P. attendait au milieu d'une entrée carrelée d'or. Il portait un treillis et une chemise en oxford bleue froissée et il était tout décoiffé sous sa casquette de Riverside Prep, comme s'il venait de se réveiller d'une petite sieste. Il la gratifia d'un sourire chaleureux, prit Darwin dans ses bras alors que le puggle trottinait vers la porte arquée et dorée. Il leva la minuscule patte de Darwin et l'agita à l'attention de Baby.

— Tu es venue, dit-il chaleureusement.

— Je suis venue pour lui, rectifia Baby en prenant Darwin des grandes mains de J.P. et en embrassant son museau noir mouillé. (Schackleton et Nemo surgirent en courant d'une autre pièce, leurs griffes claquant et glissant quand ils coururent vers elle.)

Comment ne pas aimer un visage comme celui-ci? roucoula-t-elle, se sentant bien pour la première fois de la journée.

Elle déposa le puggle sur le parquet à côté de ses amis. Ils la regardèrent tous avec l'air d'attendre quelque chose et agitèrent les fesses sans pouvoir s'arrêter.

— Tu t'es remis de la tempête de merde? demanda Baby, sans pouvoir résister, ravie de voir J.P. rougir.

C'était le genre de garçon bien coiffé et difficile à satisfaire devant lequel Avery se pâmerait. Baby avait toujours préféré le genre *bad boy* tout dépenaillé.

Ne veut-elle pas plutôt dire « fumeurs de shit » ?

— Merci de remettre ça sur le tapis, répondit J.P. d'un ton sarcastique.

Baby jeta un coup d'œil derrière lui et vit toutes les pièces, remplies de meubles anciens et ultramodernes, le tout mélangé. Cette porte à gauche donnait-elle sur un terrain de basket? Et était-ce de… *l'or*? Baby crut voir un panier de basket.

— Ello!

Une femme blonde corpulente entra dans la pièce depuis l'une des nombreuses portes à miroirs qui entouraient la grande entrée. Ses cheveux aux mèches platine étaient remontés en chignon, style super top modèle des années 1980. Elle traversa la pièce à grandes enjambées dans ses Puma bleu électrique et étreignit Baby bien fort, l'étrangla presque dans un nuage de parfum épicé.

— Bienvenue, cette maison est votre maison, annonça-t-elle pompeusement avec un accent russe prononcé en montrant les pièces avec ses longs ongles laqués de Vamp de Chanel.

— Voici ma mère, Tatyana. (J.P. fit les présentations.) Maman, voici Baby Carlyle. Elle promènera les chiens.

— Oui, je suis sa mère et voici mon magnifique, magnifique

fils! s'écria Tatyana en embrassant J.P. et en laissant une traînée de rouge de lèvres Rouge Allure de Chanel sur sa joue bronzée.

— Enchantée, dit poliment Baby en résistant au besoin urgent de prendre une photo de Tatyana avec son portable et de l'envoyer à Tom. Vous avez des chiens magnifiques! ajouta-t-elle, gauchement.

— Je sais! Je les zadore, ze zont mes bébés! Et ils zont zuper parce que contrairement à ze garçon-là, ils zont *toujours* bezoin de leur maman!

Elle se pencha pour étouffer Nemo dans une étreinte parfumée, son cul rond en l'air.

Baby jeta un coup d'œil en biais à J.P. Il la gratifia d'un sourire piteux et d'un petit haussement d'épaules.

— J'ai toujours besoin de toi, *moi*.

Un homme bien en chair surgit d'une pièce sur la gauche, comme sur un signal, et donna un petit coup taquin sur les fesses tellement guillerettes de Tatyana que c'en était flippant. Elle gloussa. Il portait un chapeau de cow-boy qui avait l'air tout petit sur son crâne chauve couleur Pepto Bismol. Il prit l'une des minuscules mains de Baby dans la sienne, grassouillette, la leva et l'abaissa énergiquement.

— Dick Cashman, annonça-t-il d'une voix tonitruante.

Il jaugea Baby de la tête aux pieds, regarda ses tongs blanches sales et le T-shirt qu'elle portait sous son blazer. Elle l'avait choisi au marché aux puces de cap Cod. Il représentait la photo d'un alligator qui mangeait un tigre.

— J'adore ce T-shirt! Super message! Ne donnez pas à manger aux alligators, sinon, ils vous mordront le cul! s'écria Dick, tout sourires.

— Hé, papa, voici Baby… commença J.P.

— Baby? Comme « *Personne ne met Baby dans un coin* »? On

ne serait peut-être pas obligés de le faire si tu t'habillais bien!
hurla Dick en se frappant le genou.

Baby sourit poliment même si elle avait entendu cette réplique
cinquante millions de fois, et qu'elle *n'aimait* même pas *Dirty
Dancing*.

— Tu vas t'occuper des chiennes alors? poursuivit-il en tapotant frénétiquement Nemo sur la tête.

— Hum, ouais, répondit Baby mal à l'aise.

Elle avait l'impression d'être entrée sur le plateau d'une mauvaise émission de téléréalité.

Le Loser Pété de Thunes?

— Et si Baby commençait? suggéra J.P. en lui donnant trois
laisses monogrammées Louis Vuitton assorties. Je vais chercher
quelque chose pour toi dans la cuisine et je te retrouve dehors.

Il gratifia ses parents d'un sourire embarrassé.

— Désolé pour ça, chuchota-t-il en guidant Baby dans des
couloirs labyrinthiques vivement illuminés.

Les murs qui ressemblaient à de l'émail étaient recouverts de
tableaux de petites boules vertes qui présentaient une ressem-
blance suspecte avec des crottes de nez. Quand ils arrivèrent
dans la cuisine ultramoderne, J.P. lui donna une tasse blasonnée
de deux *C*.

— J'ai remarqué que tu avais laissé ta boisson quand tu t'es
mise à courir après le chien hier. C'est un *chai*, dit-il presque
timidement.

— Merci, sourit Baby, touchée.

Elle sirota une gorgée. Il était bien meilleur que celui du
Starbucks et avait un petit goût de chez-elle.

— En fait, je ne sais pas vraiment ce que c'est, mais j'espère que
tu aimes bien, ajouta-t-il. C'est Raphael notre chef qui l'a fait.

— Oh, murmura Baby en éloignant la tasse de ses lèvres.

Bien sûr que c'était son chef qui l'avait fait.

Et qu'y avait-il de *mal* à cela ?

— Je pourrais t'accompagner, si tu veux, proposa J.P., toujours debout à la porte de la cuisine.

Baby recula de quelques pas.

— Non, je suis très bien toute seule, répondit-elle catégoriquement. (Elle poussa un sifflement strident et les trois chiens accoururent vers elle.) À plus !

Elle attacha rapidement les laisses à leur collier et retrouva son chemin à travers les couloirs recouverts de peintures de crottes de nez, l'entrée en or et descendit les vingt-six étages.

Le portier inclina son couvre-chef de cuir verni quand elle passa.

— Au plaisir de vous revoir, mademoiselle, cria-t-il !

Et de la revoir souvent, espérons !

papa don't preach[1]

Jack était assise dans une alcôve basse du Star Lounge du très tendance Tribeca Star Hotel. Même s'il n'était que 17 heures et que dehors les rues pavées étaient remplies de personnes qui faisaient leurs courses et profitaient de l'après-midi agréable, à l'intérieur il faisait noir et les bougies étincelaient sur les riches murs de chêne. Jack adorait les lounges quand ils étaient vides ; elle avait la sensation d'être Mata Hari ou une espionne tout aussi glamour. Il fallait qu'elle échappe à sa vie où son père ignorait ses coups de fil et où il semblait de plus en plus probable qu'elle doive demander une bourse pour l'université.

Quelle horreur* !

Elle sortit un miroir de poche et se regarda d'un air critique. Hier soir, elle avait été obligée de passer sa première nuit dans sa chambre au grenier. Elle avait dormi dans un minuscule lit jumeau et s'était réveillée dans une flaque de sueur parce qu'il n'y avait pas de climatisation, et sa fatigue extrême se voyait. Elle s'était généreusement tartinée de Crème de la Mer pour les yeux, deux fois aujourd'hui, mais il lui restait encore de gros cernes.

1. Tube interprété par Madonna dans les années 1980. Litt. : Papa, pas de morale, s'il te plaît. *(N.d.T.)*

Très Marie-Antoinette pré-guillotine.

Jiffy, Sarah Jane et Geneviève étaient censées la retrouver, mais elles étaient toutes rentrées se changer chez elles après les cours. Jack savait qu'elle ne pourrait rentrer chez elle que pour dormir, de fait elle avait rangé une robe fourreau Stella McCartney toute simple qui résistait aux plis dans son sac de ville Balenciaga bleu roi géant. Le cartable hébergeait aussi les vêtements de danse de son cours de pointes de ce matin, où elle avait mis sa colère à profit pour exécuter des arabesques de folie. Elle s'était changée dans les vestiaires à l'école, avec la sensation d'être une grosse nomade et venait d'arriver au bar, bien résolue à se mettre minable.

Elle gratifia le serveur d'une vingtaine d'années d'un signe de tête. Ses cheveux bruns bouclés tombaient sur ses yeux.

— Une autre vodka-tonic, commanda-t-elle en battant des cils.

Il ne lui avait pas demandé ses papiers d'identité, et ne risquait donc pas de le faire pour son deuxième verre.

— Dure journée ? demanda-t-il d'un ton entendu en lui donnant son verre.

Jack opina d'un air qui n'engageait à rien. Un couple Euro-trash à l'autre bout du bar conversait haut et fort avec un accent anglais prononcé à propos du fait qu'ils s'étaient fait virer du Pink Elephant la nuit précédente.

Tandis que Jack écoutait distraitement le couple se disputer et ignorait le serveur qui l'observait, Geneviève, Jiffy et Sarah Jane entrèrent subitement en gloussant, ridiculement trop chic pour le milieu de l'après-midi.

— En as-tu eu une ? demanda Geneviève en tendant une carte blanche à Jack et en s'asseyant. Je prendrai une coupe de Veuve, dit-elle sans même regarder le serveur décoiffé. À L.A., Breck et moi nous arrêtions toujours au Château Marmont pour un champagne l'après-midi, annonça-t-elle à personne en particulier.

Le serveur s'empressa de se lever et de prendre leurs commandes. Jack examina l'épaisse carte de visite que Geneviève lui avait donnée.

Venez découvrir ce que Constance signifie pour moi.

Un goûter pour discuter de notre avenir. Ajoutez du miel dans votre thé et remuez!

— Ouais, mentit Jack. (Avery ne savait-elle pas qu'elle avait commis une grosse erreur en l'excluant?) Mais vous comptez vraiment y aller? Allez! Un *goûter*?

— Tu n'as pas trouvé les tasses de thé mignonnes? demanda Jiffy. J'aimerais bien y aller. Voir à quoi ressemble la concurrence.

Jack se renfrogna.

— Avery Carlyle n'est *pas* la concurrence, rappela-t-elle sans ambages à son amie en examinant la calligraphie maison. De plus, ce n'est même pas une vraie fête.

Jack avala une grosse gorgée de son cocktail et fit signe qu'elle en voulait un autre. Elle se sentait déjà un peu pompette.

— Alors pourquoi ne pas y aller? demanda subitement Sarah Jane, comme si elle venait d'avoir une idée géniale.

Ses lunettes Prada étaient posées très comme il faut sur son nez et elle portait une tunique Tory Burch noire qui recouvrait à peine son derrière, optant clairement pour le look sexy-chic. Elle prit la carte des mains de Jack et l'examina.

— Ça se passe dans l'hôtel particulier de leur grand-mère. D'après ma mère, il est censé être spectaculaire.

— J'ai une meilleure idée, s'empressa d'ajouter Jack. (En aucun cas, elle ne désirait voir l'hôtel particulier *spectaculaire* de la grand-mère d'Avery, qui ne servirait qu'à lui rappeler sa toute nouvelle misère.) Et si nous sortions, tout bêtement ? C'est notre deuxième soir d'école et ce n'est pas comme si nous avions quoi que ce soit d'important à faire demain, leur rappela-t-elle.

— Ça me va, acquiesça Geneviève en haussant les épaules. Honnêtement, le goûter d'Avery a l'air vraiment gonflant.

— Exactement. Qui donc a envie de boire du thé ?

Jack but une autre gorgée de son cocktail, sentant son assurance d'antan revenir. Elle obtenait toujours ce qu'elle désirait.

Enfin, *presque* toujours.

— Et si on se retrouvait chez toi avant de sortir ? demanda Geneviève.

— Non ! s'écria instinctivement Jack.

L'an dernier, le meilleur moment des soirées consistait à se préparer dans sa chambre tentaculaire. Elles mettaient son iPod et dansaient sur de vieux tubes de Madonna et d'autres morceaux ringards qu'elles auraient trop honte d'avouer écouter si quelqu'un le découvrait. Elles buvaient du champagne, prenaient des photos ridicules les unes des autres, et essayaient diverses tenues de la garde-robe de Jack. Cette dernière avait toujours trouvé cela immature, mais aujourd'hui elle donnerait n'importe quoi pour que les choses redeviennent comme avant.

— Euh… (Jack hésita une seconde.) Nous sommes en train de rénover.

— Vraiment ?

Jiffy ouvrit les yeux en grand.

— D'accord ! Tout s'explique maintenant ! dit Geneviève en faisant un signe de tête entendu à Sarah Jane qui opina en signe d'assentiment.

— Quoi ? fit Jack, sur la défensive.

— Oh, c'est juste que l'on a vu un camion devant chez toi, hier.

Ça devait être pour les travaux de rénovation? demanda Sarah Jane en faisant tourner le citron vert dans son verre.

— Ouais, répondit Jack, soulagée. Ça craint. En gros, nous cassons tout le rez-de-chaussée et habitons au grenier pendant ce temps.

— Pourquoi vous ne séjournez pas dans une suite au Regency, quelque chose comme ça?

— Tu connais ma mère, soupira Jack, comme si cela expliquait tout, bien que Jack mît un point d'honneur à éloigner le plus possible sa mère de ses amies. Elle veut rester sur place pour s'assurer que les décorateurs ne déconnent pas.

— On pourra se préparer chez moi, proposa Geneviève dans un soupir théâtral.

Elle vivait avec sa mère dans un modeste trois-pièces sur la 50ᵉ et la 3ᵉ. Il était clairement minuscule par rapport à l'hôtel particulier de Jack, et Geneviève n'arrêtait pas de râler à ce sujet, leur rappelant que sa mère était une comédienne, même si elle n'était plus qu'une ancienne actrice de soap opera qui jouait dans une comédie musicale bizarre avant-gardiste dans le centre.

— OK.

Jack fit signe à leur serveur. Tout avait commencé à être délicieusement flou. Elle se rendrait chez J.P. après avoir passé la nuit à danser avec les filles et peut-être que quelque chose – *ça* – se passerait enfin.

— Une autre vodka-tonic, énonça-t-elle soigneusement quand le serveur approcha.

Elle n'était pas saoule.

Bien sûr que non.

— Et l'addition, ordonna-t-elle fermement.

Elle sortit son AmEx noire de son porte-monnaie Gucci.

— Tout de suite, répondit le serveur en tournant les talons, sa carte à la main.

Il revint presque aussitôt.

— Votre carte a été refusée.

Il la lui rendit. Jack en resta sans voix. Elle sentit le regard interrogateur de Geneviève la transpercer.

— C'est pour moi, lança Jiffy en sortant son AmEx noire de son sac Kate Spade vert et blanc. En dépit de son sac à main Little-Bo-Peep-va-pique-niquer[1], Jack avait envie de la serrer dans ses bras.

— J'utilisais une autre carte à Paris. J'imagine qu'elle a été bloquée, quelque chose comme ça, mentit-elle, le cœur battant la chamade.

D'abord, son père lui prenait sa maison et maintenant ça ? Lui coupait-il sérieusement les vivres ?

— Alors, où allons-nous ? Peut-on commencer au Tenjune ? demanda Jiffy qui parlait d'un club incontournable du Meatpacking District.

— Vous savez, en fait je n'ai plus envie de sortir, annonça brusquement Jack. J'ai un cours de danse classique demain. Mais éclatez-vous, les filles.

— Mais il est encore tôt ! pleurnicha Geneviève.

Jack ne prit pas la peine de leur donner d'explication. Elle sortit de l'hôtel comme une flèche et marcha d'un bon pas jusqu'à Houston pour trouver un taxi. Il faisait chaud et humide et un bus de la MTA passa à côté d'elle en diffusant un nuage de pot d'échappement sur sa peau bronzée. Sa robe Stella McCartney se gonfla. Oh mon Dieu. Pourrait-elle même se *payer* un taxi ? Elle avait la tête qui tournait, une grosse envie de pleurer et était

1. Little Bo Peep est une bergère, héroïne de contes pour enfants. *(N.d.T.)*

très très bourrée. Elle sortit des billets d'un dollar froissés de son maxi sac en cuir bleu, sachant que ça ne suffirait pas.

Elle repéra une bouche de métro où elle se traîna en tremblant, émerveillée devant tous les différents lettres et chiffres. La 6 verte lui disait quelque chose. Cette ligne n'allait-elle pas dans l'Upper East Side ?

Elle suivit un groupe de voyageurs qui prenaient la ligne 6, feignit de ne pas scruter le plan du métro au-dessus de sa tête, alors qu'un type n'arrêtait pas de marcher sur son pied avec son mocassin. Enfin, après d'innombrables arrêts à voyager avec un groupe de mariachi, Jack descendit à la 51ᵉ Rue. Elle rejoignit à la hâte l'immeuble imposant de Citigroup sur la 53ᵉ et Park, qui abritait le bureau de son père. Le soleil qui commençait à se coucher se reflétait en teintes bleu et orange sur la tour de chrome et d'acier moderne du gratte-ciel. La dernière fois que Jack y était entrée, elle avait onze ans.

Des hommes en complet-veston et des femmes en tailleur impeccable s'affairaient dans l'immense hall d'entrée et Jack se sentit immédiatement décalée avec sa robe de soirée et son sac de classe Balenciaga bleu.

— Je suis Jacqueline Laurent. Mon père travaille au vingt-deuxième étage. Marchés émergents, débita-t-elle à toute vitesse au grand homme aux cheveux blancs assis derrière un comptoir de sécurité. Il décrocha rapidement un téléphone.

— Montez, répondit l'homme avec un accent du Bronx prononcé.

Jack entra dans l'ascenseur métallisé, sachant qu'elle devait garder son calme. Elle se concentra sur la météo qui passait sur le petit écran TV de l'ascenseur. Ce soir, le temps serait agréable avec une possibilité de tempête.

Exactement comme quelqu'un que nous connaissons.

Quand elle descendit au vingt-deuxième étage, une femme

maigre, aux sourcils tatoués plusieurs centimètres au-dessus de ses yeux, l'attendait.

— Bonsoir, dit-elle poliment en faisant signe à Jack de la suivre vers le grand bureau dans le coin.

— Jacqueline! lança son père.

Il se leva derrière un bureau de chêne massif, prit ses deux mains dans les siennes, mais ne l'étreignit pas. Jack baissa les yeux sur sa tignasse de cheveux blancs. Elle ne savait plus quand elle était devenue plus grande que lui. Il ressemblait plus à un Père Noël dodu qu'à un homme d'affaires puissant et ancien membre du gouvernement.

Elle sourit, tâcha de cacher son ébriété. Tout cela n'était probablement qu'une stupide erreur. Peut-être son père essayait-il, comme le font les types qui n'y connaissent rien, de récupérer Vivienne – et Jack, son joli lit à baldaquin et son AmEx noire avaient tout bêtement été pris dans le feu croisé.

Bien sûr, ça se tient.

— Tu ne m'as jamais rappelé.

Son père lui fit signe de s'asseoir, et Jack s'installa dans un fauteuil de cuir noir face aux immenses baies vitrées qui surplombaient Park Avenue.

— Tu ne m'as pas non plus rappelée, papa, dit-elle calmement.

Elle défroissa sa jupe sur ses genoux et le gratifia d'un regard de chien battu désemparé, avec ses grands yeux verts.

— Ta mère ne t'a pas dit ce que nous avons décidé, reprit Charles. (Il se rendit vers un service à café en argenterie à l'autre bout de la pièce.) Café?

Jack secoua la tête, bouillonnante. Il ne s'agissait pas d'un café comme un autre. Il s'agissait de son *avenir*.

— Pourquoi ma carte de crédit ne marche-t-elle pas? lâcha-t-elle.

— Pourquoi es-tu partie de Paris plus tôt que prévu ? rétorqua calmement son père.

Il se servit du thé dans une tasse en porcelaine blanche et Jack se rappela brusquement le goûter débile d'Avery. Il prit le fauteuil à côté de celui de sa fille. Ses yeux intelligents cherchaient des réponses sur son visage.

— Je… (Jack marqua une pause.) Je voulais être sûre que j'avais le temps de retrouver la forme avant que le programme de formation ne commence. Je voulais que tout soit en ordre.

Sa voix tremblait quand elle mentait.

— Dans les Hamptons ? énonça Charles sèchement.

Elle rougit. Et alors ? Méritait-elle une punition aussi sévère ? Elle avait dû prendre le *métro*, pour l'amour de Dieu !

De la graine de Mère Thérésa.

Charles se leva et déposa bruyamment sa tasse de thé sur le bureau.

— Jacqueline, je fais ça pour ton bien. J'aimais très fort ta mère. Je ne veux pas que tu deviennes comme elle. Je veux que tu connaisses la valeur du travail. Tant que tu ne m'auras pas prouvé que tu peux assumer des responsabilités et respecter des engagements, je ne financerai plus ton mode de vie. Je paierai ton école et c'est tout. Mais pas les cours de danse. Si tu aimais la danse autant que ta mère le croit, alors tu serais restée à Paris et aurais terminé tes cours.

Il sourit et se rassit derrière son bureau, comme si son discours d'amour vache compensait son absence dans son éducation.

Jack avait l'impression qu'il venait de la gifler. De petites larmes se formèrent dans ses yeux, et elle remarqua que son vernis bordeaux était écaillé. Son père *ne pouvait pas* lui couper les vivres comme ça, n'est-ce pas ?

Eh bien, en vérité, c'est ce qu'il vient de faire.

— Et la maison? chevrota Jack, se moquant bien d'avoir l'air désespéré.

Que ses deux assistantes et son troupeau de larbins en costume l'entendent donc brailler. Peut-être auraient-ils pitié d'elle, *eux*.

Charles regarda sa fille et son visage s'adoucit momentanément.

— Je devais m'en débarrasser. C'était un immense gouffre et honnêtement, ta mère et toi n'avez pas besoin de toute cette place. Bien sûr, tu pourrais venir vivre avec Rebecca et les filles, proposa-t-il. J'adorerais t'avoir dans notre famille.

Jack secoua la tête sans rien dire. Rebecca n'avait que huit ans de plus qu'elle. De plus, elle ne pouvait pas abandonner sa mère. Vivienne partirait en vrille. Elle partait déjà en vrille.

— Je mettrai l'expérience parisienne sur le compte d'une stupide erreur, si tu me prouves que tu es responsable, poursuivit Charles comme s'il parvenait à une négociation diplomatique avec un pays particulièrement belligérant et pas particulièrement puissant. Si tu peux faire cela, je serais ravi de vous soutenir, tes efforts et toi. Peux-tu le faire, Jacqueline?

Jack *devait* continuer la danse classique. Sur la scène noire glissante du Lincoln Center, ou sur les sols de bois brillants du studio de répétition, elle se sentait libre comme nulle part ailleurs dans sa vie. La danse classique la rendait exceptionnelle, belle, lui donnait un avantage. Grâce à elle, elle était Jack, pas Jacqueline. Elle regarda son père droit dans les yeux.

— J'occupe une position de leader à l'école, riposta-t-elle. (Comment ça s'appelait, déjà?) Je suis… la chargée de liaison avec le conseil de superviseurs.

Ou le serait-elle dans quelques jours. Elle adressa à Charles un regard signifiant : « Et toc! Prends ça dans les dents. »

— Bien!

Il frappa dans ses mains comme si cela méritait d'être fêté.

Il ne manque plus que le champagne. Oups, elle en a déjà bu.

— Et quand as-tu commencé?

Charles examina le calendrier sur son bureau.

— La semaine prochaine.

Elle se mit debout devant son bureau comme la ballerine parfaite qu'elle était, le dos droit comme un piquet.

— Alors tu n'as pas encore officiellement commencé? se hasarda Charles.

Il posa une fesse sur le bord de son bureau et fronça ses sourcils blancs.

— Ils l'annonceront officiellement dimanche. À l'occasion d'un brunch mère-fille au Tavern on the Green.

— Je viendrai, annonça Charles, galant.

— Mais tu n'es pas ma *mère*! lui fit remarquer Jack.

Non seulement il allait ruiner sa vie, mais en plus il voulait lui mettre la honte lors d'une manifestation scolaire!

— Qui paie tes frais de scolarité? demanda calmement Charles. De plus, ce n'est pas le genre de choses à quoi Vivienne voudrait assister. Il est temps que quelqu'un s'intéresse pour de bon à ton avenir, Jacqueline.

— Mon *avenir*, c'est la danse classique! lui rappela-t-elle entre ses dents.

— Si tu montres ton sérieux pour les cours de danse classique alors tu montreras que tu es responsable et je signerai le chèque. Me suis-je bien fait comprendre?

Jack opina, trop furieuse pour parler. Elle ne parvenait pas à croire que la clé de son avenir se trouvait dans le portefeuille en cuir marron Christian Lacroix de son père – et entre les mains de ses camarades de Constance. S'il ne payait pas ses cours de danse, elle devrait demander une bourse, et en aucun cas, le directeur de programme Mikhail Turneyev ou Tournemoidanstouslessens ou quel que fût son nom, ne lui en octroierait une.

Elle sortit du bureau de son père en râlant, passa devant sa secrétaire maigre qui écoutait à la porte. Elle sortit son téléphone portable d'un coup et composa le numéro de J.P. avec sa numérotation abrégée, mais tomba directement sur sa boîte vocale. Elle était sur le point de jaser sur ce qui s'était passé, qu'elle était officiellement pauvre et qu'elle devrait probablement manger des nouilles instantanées hyper caloriques pour survivre, et lui demander de la rappeler sur-le-champ quand elle marqua une pause. Il la détesterait d'être aussi pathétique. Il la détesterait d'être pauvre.

— Hé, c'est moi… appelle-moi, dit-elle simplement après le bip.

Elle referma son portable d'un coup, redressa les épaules et allongea le cou. *Parfait*, se répéta-t-elle en silence. *Parfait*.

Trinquons au pouvoir de la pensée positive!

tainted love[1]

De retour chez lui après une course de quinze kilomètres après l'entraînement, Owen ôta son T-shirt Nantucky Pirates collant de sueur et le balança par-dessus le nouveau fauteuil club en cuir qui avait fait son apparition dans l'entrée. Il remarqua un nouveau canapé en lin blanc à assise basse et des fauteuils à la place du canapé orange mangé par les puces. Il était vide, à l'exception d'un bizarre oreiller métallisé. Chez lui, à Nantucket, même s'ils vivaient sur un hectare de terre, tous les soirs, ils avaient l'habitude de se retrouver dans le séjour confortable encastré, de manger des chocolats en forme de cœur et de partager des potins bien croustillants sur la journée des uns ou des autres.

Il y a des tas d'autres filles qui seraient ravies de partager des chocolats en forme de cœur avec lui !

Alors qu'Owen se dirigeait dans sa chambre, la sonnette retentit.

— J'y vais ! hurla-t-il au cas où il y aurait quelqu'un à la maison.

1. Litt. : amour souillé. Tube planétaire d'abord interprété par Gloria Jones en 1964 et rendu célèbre par Soft Cell en 1981 puis repris par de nombreux artistes dont Marilyn Manson, The Pussycat Dolls, etc. *(N.d.T.)*

Chez lui à Nantucket, les gens qui sonnaient chez eux finissaient toujours par habiter avec eux. Un couple, Léon et Gary, s'était arrêté pour demander sa route et avait fini par vivre chez eux pendant six mois, jusqu'à ce qu'ils décident de déménager à Amsterdam pour cultiver des tulipes. Ils continuaient à envoyer quatre paires de sabots en bois à chaque Noël.

— D'accord, chéri! cria Eddie en retour et Owen entendit de vagues bruits de chants bouddhistes provenir de derrière les portes fermées de son studio.

Owen se rendit dans l'entrée sans prendre la peine d'enfiler de T-shirt. C'était probablement Rhys qui passait déposer un autre Speedo ou autre chose.

Il ouvrit la porte à la va-vite et retint son souffle. La déesse éthérée aux yeux bleus de ses rêves semi-pornographiques se tenait juste devant lui. *Kat.*

Ou plutôt Kelsey?

Ils se dévisagèrent longuement en silence.

— Salut, dit-elle enfin, brisant le silence. J'ai appris que tu habitais ici. Ma mère était amie avec Eleanor Waldorf! Tu sais, la famille qui vivait ici avant? Nous sommes voisins! J'habite sur la 77e!

À sa voix trop enjouée, Owen devina qu'elle était nerveuse. Elle scruta son torse de ses yeux bleu argenté et sourit, quoique timidement. Owen attrapa son T-shirt et l'enfila. Il était encore mouillé et collait à sa peau.

Encore mieux pour voir tes abdos tablettes de chocolat, mon cher.

— Que fais-tu ici? lâcha-t-il étourdiment. (C'était tellement bizarre de la voir sur le pas de la porte de sa nouvelle demeure, après tant de semaines passées à fantasmer sur elle. Mais ce n'était plus Kat, c'était *Kelsey*, et il ne savait même pas qui c'était.) C'est drôle d'être tombé sur toi par hasard hier, *Kelsey*.

Il avait l'intention d'être sarcastique, mais eut plutôt l'air sincèrement heureux et poli.

Trop de temps passé avec M. Bonnes Manières.

— Je crois que je devrais me présenter. Je m'appelle Kelsey Addison Talmadge. Je ne t'ai jamais *dit* que je m'appelais Kat, tu te souviens?

Un petit sourire recourba ses lèvres avant de disparaître quand une expression sérieuse envahit son visage. Sa peau était magnifiquement bronzée sous son petit haut sans manche col en V vert foncé. La naissance de ses seins bonnets B guillerets lui fit un clin d'œil. Dieu, c'était une bombe.

— Je suis désolée, il fallait que je te voie. (Kelsey joua avec une grosse bague en argent à son doigt.) Je n'arrêtais pas de penser à cette nuit sur la plage. Mais ensuite, je me suis sentie tellement coupable, parce que je n'ai jamais été infidèle avant – et je n'avais jamais pensé que je le serais un jour. (Ses yeux bleus brillèrent avec sérieux.) J'ai simplement ressenti quelque chose de fort quand je t'ai rencontré, mais le timing était mauvais et j'étais terrorisée et nous n'habitions pas dans la même ville… C'était pour cela que je ne t'ai pas dit mon nom; je t'ai juste donné mon bracelet. J'espérais sûrement que tu finirais bien par me trouver, conclut-elle dans un haussement d'épaules. (Elle l'implora du regard.) Je suis désolée d'avoir menti. Je ne suis pas quelqu'un de mauvais, vraiment.

Elle était si belle, si douce et sincère, et avant de savoir ce qu'il faisait, Owen la serra fort dans ses bras. Il sentit le cœur de la jeune fille battre contre sa poitrine. Il porta sa main à sa joue et respira son shampooing à la pomme.

— Je suis ravi que tu m'aies trouvé, dit simplement Owen, sans savoir que faire ensuite.

Pour l'heure, la serrer dans ses bras était encore mieux que tous les rêves pornos qu'il faisait sur elle.

Ah bon?

L'iPhone du jeune homme se mit à vibrer dans sa poche. Il l'en sortit et regarda l'écran. Tout aussi vite que son cœur s'était emballé, il se calma.

— C'est un texto de Rhys, expliqua-t-il en regardant Kat dans ses yeux bleus.

— Vous êtes amis? demanda-t-elle, confuse.

Owen haussa les épaules. Il lut le texto et, sans rien dire, tendit le téléphone à Kat. VE ME JETÉ D1 PUT1 2 PONT. PRENDRAI PLUTOT DÉ COCKTAILS. T A LA MAISON? JSUI DS LE COIN.

L'inquiétude traversa le visage de Kat.

— J'imagine que je ne devrais pas être ici, murmura-t-elle.

Owen opina en signe d'assentiment, mais il ne désirait rien de plus qu'elle reste.

— Kat… enfin, Kelsey…

— J'aime bien être Kat avec toi, murmura-t-elle. Nous pouvons être qui nous voulons l'un pour l'autre.

Owen opina. Ce qu'elle racontait ne voulait rien dire, mais en tout cas, c'était romantique.

L'interphone du bas sonna. Kat et Owen se figèrent sur place et se regardèrent.

Le cerveau d'Owen tourna à cent à l'heure.

— Attends ici, dit-il à la hâte en entraînant la jeune fille vers la chambre d'Avery impeccablement décorée, un mélange de bon goût de beige, de blanc et de rose pâle que sa sœur avait commandé chez un décorateur dès qu'ils avaient aménagé. Il poussa Kat à l'intérieur.

L'interphone sonna de nouveau et il s'approcha d'elle. Enfin ils s'embrassèrent. Il avait voulu que ce soit un petit baiser sur la bouche, mais quand leurs lèvres se touchèrent, ce fut un baiser passionné, et il désirait simplement fermer la porte, l'allonger sur le lit et…

Bien, parce que ce serait le moyen idéal d'étrenner les draps de coton égyptien à six cents fils qu'elle avait trouvés chez Bergdorf's.

Son téléphone vibra : un autre texto.

« DEVANT CHÉ TOI. T OU PUT1 ? »

— Faut que j'y aille. Attends ici jusqu'à ce que tu nous entendes partir.

Owen était tout étourdi d'excitation et de culpabilité.

— Qu'allons-nous faire ? demanda Kat, telle la demoiselle en détresse que Owen serait prêt à tout pour sauver.

— Nous trouverons bien, répondit-il d'un ton déterminé.

Il l'embrassa encore et, le cœur battant la chamade, ferma la porte de la chambre d'Avery.

— Hey *man*, fit Owen en ouvrant la porte d'entrée et en gratifiant Rhys d'un grand sourire trop enthousiaste. Les yeux de Rhys étaient ourlés de rouge et sa peau, grise. On aurait dit qu'il n'avait pas dormi depuis des semaines, même si cela ne faisait qu'une journée que Kelsey avait rompu.

— Apéro ? l'enjôla Owen.

Rhys regarda son ami blond et bronzé en inclinant la tête, lequel souriait et faisait tout son possible pour qu'il aille mieux. Comme si une mauvaise bière allait le réconforter. Il avait envie de *mourir*.

— Je l'ai attendue devant son appartement pendant une heure. Je l'ai vue sortir et aller au centre à pied puis j'ai perdu sa trace.

Du coup, j'ai décidé de passer te voir. Je sais que j'ai l'air d'un gros fan obsessionnel, poursuivit Rhys.

Owen grimaça. Kat écoutait probablement dans la pièce à côté. Et Rhys avait en effet l'air obsédé.

— Je ne sais pas où elle a pu aller.

— Tu es obnubilé, observa Owen, sans méchanceté. (Il s'adossa à la grande porte en acajou.) Elle est probablement allée voir quelqu'un, quelque chose comme ça.

On peut dire ça comme ça.

— Je veux juste savoir avec qui elle est. (Rhys secoua la tête.) Elle a dit qu'elle avait rencontré quelqu'un. Qui ça peut bien être ?

— Mec, je ne sais pas, répondit Owen, impuissant. (Il haussa les épaules et le T-shirt collant de sueur devint brusquement hyper inconfortable sur sa peau.) Sortons. Tout s'explique toujours mieux après quelques bières.

Une thérapie par l'alcool ?

tea for two

Le soleil couchant projetait des motifs lumineux sur les tapis japonais bleu foncé fin XIXᵉ siècle qui moquettaient le parquet étincelant de l'hôtel particulier de grand-mère Avery. Avery était assise avec Sydney Miller. Sydney Miller, célèbre en raison de son piercing au sein. Sydney Miller, la seule convive à son goûter.

Pas plus tard que l'an dernier, cette pièce même avait figuré dans les pages de *Vogue* après une soirée du Drama League qu'avait organisée Avery l'ancienne, et aujourd'hui, avec les dossiers du bureau d'avocat entassés par terre en piles bordéliques, elle ressemblait plus à une installation de musée en cours de démontage.

Mais avec moins de monde.

— Donne-les-moi, demanda Avery en désignant les mini tartes décorées de minuscules framboises intactes sur un plateau. Le plateau rose était parfaitement assorti au tailleur Chanel qu'elle avait emprunté dans le placard de grand-mère Avery.

Sans rien dire, Sydney lui donna le plateau. Des verres de thé glacé maison préparé avec soin demeuraient intacts sur la table de côté, embués par la condensation. Avery avait cru que les invitées pourraient se servir en arrivant et que proposer du thé glacé serait un moyen agréable de moderniser la tradition du goûter honorée par le temps.

À condition que des serveurs mignons soient servis avec le thé glacé, bien sûr…

— À mon avis, personne ne viendra, finit par dire Sydney en passant la pièce en revue.

Les fauteuils Chippendale d'époque qu'Avery avait traînés depuis la salle à manger étaient tous alignés face au petit balcon en fer forgé qui dépassait dans le solarium depuis le bureau du deuxième étage. Grand-mère Avery l'avait fait construire pour son champ de vision – quand le soleil se couchait, celui ou celle qui se tenait sur le balcon semblait être illuminé. Edie s'était toujours moquée en affirmant que sa mère avait piqué cette idée après avoir vu la comédie musicale *Evita*. Pourtant, l'effet était théâtral et Avery avait bien l'intention de monter y faire un petit discours puis de mettre à profit le temps restant pour faire la connaissance des autres filles de Constance.

La sonnette retentit. Avery regarda Sydney et son rouge à lèvres noir mat, l'air de dire : « *Je te l'avais dit* » puis se leva d'un bond de son immense fauteuil. Elle grimaça de douleur quand elle eut mal à ses pieds pointure quarante et un, à l'étroit dans les chaussures Ferragamo pointure trente-sept de sa grand-mère.

Pas facile de trouver chaussure à son pied…

Elle ouvrit la lourde porte en chêne sur Baby, flanquée de trois chiens alignés par ordre de taille.

— Surprise ! lança sa sœur dans un sourire machiavélique, alors qu'un gros croisement de caniche agitait ses fesses contre la jambe nue d'Avery, souriant et bavant comme un fou. Deux minuscules puggles emmêlaient leur laisse autour des pattes du plus grand chien.

— Qu'est-ce que tu fous, bordel? lâcha étourdiment Avery en repoussant le chien du genou.

Était-ce l'idée que se faisait Baby d'une plaisanterie?

— Nemo, espèce d'abruti, tu n'as pas fait suffisamment ça dans le parc? (Baby repoussa le chien de force.) Je rentre juste du parc. J'étais tout près, c'était normal que je passe te voir. Veux-tu que je revienne après les avoir déposés chez eux?

Baby tint fermement les laisses. Le gros chien sauta de nouveau vers l'entrejambe d'Avery.

— Non! s'écria celle-ci en claquant violemment la porte en chêne.

Elle poussa un soupir las.

— Qui c'était? hurla Sydney.

— Personne, répondit Avery, impassible, en réapparaissant dans le salon.

Elle grignota une autre tarte.

— Je te l'ai dit, Pétasseland, répéta Sydney.

Elle rejoignit Avery à côté de la desserte et fourra une tartelette dans sa bouche. Avery vit son piercing de langue étinceler quand elle mâcha. *Au moins, elle est venue*, songea-t-elle.

— Et il n'y a pas de picole, observa Sydney en prenant une autre tarte. Ces saloperies sont excellentes, commenta-t-elle en engloutissant deux autres.

— Une soirée « bière à même le tonneau » ne me semblait pas l'idéal pour poser ma candidature à un poste sponsorisé par l'école, déclara Avery d'un ton indigné, en remettant une mèche blonde rebelle dans son chignon.

Elle s'écroula de fatigue sur une bergère à oreilles recouverte de jacquard pêche.

— Tu plaisantes? Les gens seraient venus pour boire de la bière! Un goûter pour parler d'un poste sponsorisé par l'école?

Ça fait nul, tu sais? (Sydney partit d'un rire pince-sans-rire et, quand elle vit l'expression peinée d'Avery, adoucit son ton.) En général, par ici, une fête comporte des garçons, de l'alcool, quelques filles bourrées aux toilettes, et quelques aventures pour la plupart ultrarapides, expliqua-t-elle d'un ton neutre. Ils ne faisaient pas ça chez toi?

— Si, mais c'était *Nantucket*.

Avery fronça le nez de dégoût. Elle avait supposé avoir laissé ce genre de soirées là-bas. New York City n'était-elle pas censée être plus *classe*? N'y avait-il que cela qui intéressait ses camarades de classe? Picoler et baisouiller?

En un mot, oui. Bien que nous triions sur le volet ceux avec qui nous baisouillons et ce que nous buvons.

Sydney opina et s'assit sur un fauteuil devant Avery, comme un petit au jardin d'enfants qui écoute une histoire.

— Pourquoi, d'après toi, je meurs d'envie de me barrer? Les gens ici manquent tellement d'imagination!

— Alors pourquoi Jiffy et les autres ont-elles dit qu'elles viendraient?

Avery se leva pour aller prendre un sandwich au concombre. Elle ne supportait pas de voir les plateaux déborder de nourriture.

— Parce qu'elles avaient cru qu'il y aurait des garçons, de l'alcool et le même genre de choses qu'elles ont l'habitude de trouver à chaque soirée. Les tasses de thé ont dû leur mettre la puce à l'oreille, elles ont bien lu l'invitation et annoncé la nouvelle. (Avery soupira.) Je peux te demander quelque chose? poursuivit Sydney sans attendre sa réponse. Pourquoi convoites-tu tant ce poste?

Avery marqua une pause pour réfléchir. Elle voulait être CLACS parce que c'était quelque chose, que, pensait-elle, sa grand-mère aurait sûrement fait. Mais bon, les gens étaient peut-être différents à l'époque de grand-mère Avery – peut-être avaient-ils une autre conception de ce qu'était une bonne soirée, une belle vie, un bon moment. Elle se rappela quand sa grand-mère l'avait emmenée à un bal de charité au Met. Elle avait six ans et portait une robe de velours bleu foncé de chez Bergdorf's. Des sapins de Noël incroyablement grands entouraient la piste de danse tandis que le comte von Arnim, un membre de la famille royale bulgare fringant et un ami de grand-mère Avery, la faisait virevolter et virevolter dans tous les sens. Elle se rappelait avoir jeté un œil au-dehors et vu de gros flocons de neige tomber sur l'étendue enténébrée de Central Park et se dire que Manhattan était l'endroit le plus magique au monde. Ce monde existait-il encore ?

— C'est important, c'est tout, dit-elle d'un ton doux en faisant tourner le pendentif solitaire à son cou.

Peut-être que New York avait changé, ou peut-être s'y prenait-elle super mal.

— Ta tenue est mignonne aussi... dans le genre « Je siège au conseil d'administration du Met »... commenta Sydney en désignant la jupe d'Avery. Mais à moins que tu n'aies l'intention d'organiser un déjeuner de charité, tu devrais probablement laisser tomber le tailleur.

Avery soupira et enleva la magnifique veste en soie rose, la posa sur le fauteuil brodé de rose. Elle ôta les épingles de ses cheveux et les agita de sorte que sa chevelure blonde tomba en cascade sur ses épaules. Elle ne savait plus ce que sa grand-mère recommanderait.

— Tu veux aller prendre une bière ? proposa Sydney en faisant une nouvelle excursion jusqu'au buffet. Je voudrais aller jeter un œil à certains peep-shows en ville. J'envisage de réaliser une espèce d'étude indépendante sur le statut de la femme-objet ce semestre.

— Non merci, refusa Avery, l'écoutant à peine.

— OK, dit Sydney, pas démontée. Appelle-moi si tu changes d'avis. Je commence par le Scores !

Elle se dirigea vers la porte, laissa Avery seule dans le solarium déjà enténébré, avec les plateaux recouverts de tartes fines. Avery en prit une autre et foudroya du regard les verres de thé glacé encore pleins, pensant à toutes les filles de Constance censées être là et tous les boire. Elle se demanda comme ça en passant où étaient Jack Laurent et ses pétasses de copines en ce moment. Sûrement en train de boire des cocktails quelque part et de se moquer de sa triste tentative de devenir populaire.

Puis aussi rapidement qu'était survenu son auto-apitoiement, il disparut. Elle se leva et jeta tout le plateau de tartelettes à la poubelle. Elle n'était pas la Reine des Tartes, elle était SuperAvery Carlyle et elle le ferait savoir à ces pouffiasses.

Qu'on leur coupe la tête !

grosse teuf : deuxième partie

Mercredi matin, Avery enfila la tenue de gym bleu et blanc moche de Constance pour son premier cours de l'année. C'était le lendemain du goûter-désastre et elle était bien déterminée à ne pas laisser ce petit écart momentané colorer toute sa carrière à Constance.

Elle marcha jusqu'à la 93ᵉ Rue où les autres filles s'étaient retrouvées pour courir jusqu'au réservoir de Central Park. La prof de gym, la coach Crawford, faisait tourner un sifflet autour de son doigt. Elle avait des cheveux brunâtres parsemés de mèches grises et portait un petit haut sans manches bien trop petit qui dévoilait son décolleté. On aurait dit qu'elle avait fourré deux pamplemousses dans son T-shirt.

— Hé !

Avery fut surprise de voir Baby porter un T-shirt de Constance Billard et une jupe athlétique, d'autant plus qu'elle avait séché le cours de français ce matin. Sur Baby, la tenue de gym était si grande qu'elle était ridicule. Avery jeta un œil à la sienne. Son T-shirt serrait inconfortablement sa poitrine, la faisant ressembler à une pom-pom girl du Midwest. Elles avaient dû confondre leurs tenues.

— Comment ça va ? demanda Avery.

— Un autre cours sympa avec les harpies, lança Baby d'un ton léger. Que peut-on rêver de mieux?

Elle désigna Jiffy et Geneviève d'un signe de tête. Étonnamment, Jack était invisible. La coach conduisit le groupe en bas de la 93e Rue, en direction de la 5e Avenue.

— Je me disais que nous devrions faire une fête ce week-end, décida Avery en regardant Geneviève et Jiffy du coin de l'œil. (L'idée d'organiser une deuxième fête, une vraie cette fois, lui plaisait bien. Elle pourrait faire monter Owen et Baby à bord, comme au bon vieux temps, et elle pourrait se servir de cette soirée pour se mettre les votes pour la chargée de liaison dans la poche.) Les chiens sont interdits. Mais il faudra que tu viennes, sinon je te renie en tant que sœur, ajouta-t-elle.

— Bien sûr, opina Baby en se demandant comment elles pourraient organiser une soirée alors qu'elles ne connaissaient encore personne. Le seul à qui elle parlait vraiment ici était J.P. mais, en fait, peut-être pourrait-elle l'amener à la soirée.

—La grande et la petite, avancez! grommela la coach en entraînant le groupe sur le passage clouté en faisant tournoyer son sifflet.

La grande? renifla Avery. C'était ce que l'on appelait une attention personnelle dans une école privée? Il y aurait *sûrement* des changements quand elle serait au pouvoir. Devant elles, Jiffy et Geneviève traversaient le passage piéton en sautillant.

— Salut, les filles. Désolée que vous n'ayez pas pu venir à ma réunion l'autre jour, mais j'organise une soirée samedi soir si cela vous intéresse, annonça Avery en coinçant Jiffy quand elles entrèrent dans le parc et que le groupe se mit à trotter sur le chemin de béton en direction du réservoir.

Les yeux de Jiffy s'ouvrirent en grand.

Elle jeta un œil à Geneviève, qui sourit d'un air supérieur.

— Qui vient?

Baby roula des yeux et descendit le chemin du réservoir, ses cheveux flottant derrière elle. Comment Avery pouvait-elle, après avoir détesté ces filles, devenir leur super meilleure amie? Elle n'avait jamais vu ce côté-là de sa sœur et elle n'était pas sûre de l'aimer. Elle n'aimait rien à Constance Billard, ni à New York, d'ailleurs. Mais le réservoir *était* plutôt joli – il y avait quelque chose de théâtral dans les gratte-ciel qui s'élevaient, imposants, au-dessus de l'étendue d'arbres verts luxuriants. Cela exprimait plus ou moins les contradictions de New York : elle était moderne et pourtant classique, énorme et pourtant, tellement, tellement petite. Non pas qu'elle se mette à apprécier la ville ni rien.

Bien sûr que non.

— J'invite un groupe de filles de Constance et des garçons de St. Jude's. Mon frère et moi nous sommes dit que ce serait super si nous pouvions traîner tous ensemble, inventa Avery en observant Baby filer comme une flèche sur le chemin, comme si courir était sa priorité absolue.

Les filles gravirent les marches de pierre qui menaient au réservoir et s'arrêtèrent près de la fontaine à eau, feignant de se préparer à courir.

— Tu as un frère? demanda Jiffy, tout excitée.

Avery opina. C'était la même histoire chez elle, à Nantucket. Annoncez l'existence d'un garçon et d'un seul coup, toutes les filles accourent.

— Ouais, Owen – il fait partie de l'équipe de natation de St. Jude's; du coup, un tas de nageurs seront là aussi, mentionna Avery comme ça en passant.

Elle défit sa queue-de-cheval blond blé en secouant la tête et la refit, plus serrée.

Sarah Jane et Geneviève se glissèrent jusqu'à elle.

— Alors, où a lieu la soirée ? demanda Sarah Jane à Avery en étirant sa jambe sur la clôture en fer forgé qui entourait le réservoir.

— À l'hôtel particulier de ma grand-mère sur la 61e et Park. J'espère que tu pourras venir. (Avery la gratifia d'un sourire radieux.) Mon frère est vraiment pressé de rencontrer toutes mes nouvelles copines.

Avery courut après Baby. Elle sentait que Jiffy, Geneviève et Sarah Jane la regardaient curieusement, quand elle fit le tour du réservoir à toute allure et rattrapa sa sœur sans problème. La popularité était un peu comme la pêche : il suffisait de mordre à l'hameçon.

Et de tout gober.

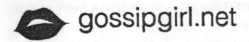
gossipgirl.net

thèmes ◄**précédent** **suivant**► **envoyer une question** **répondre**

Avertissement : tous les noms de lieux, personnes et événements ont été modifiés ou abrégés afin de protéger les innocents. En l'occurrence, moi.

Salut à tous !

Est-ce moi ou le stress a-t-il brusquement envahi tout l'Upper East Side ? Du jour au lendemain, les gens semblent être passés du traînassement joyeux sur Madison Avenue dans leurs plus belles fringues d'été à des allers et retours précipités à l'école, le front plissé d'une consternation botoxisée-avant-trente-ans. Et c'est bien connu, avec le stress viennent les problèmes de sommeil. Jetons un œil à quelques cauchemars de lycéens banals pour mettre notre propre vie en perspective.

4. **Pas de cavalier pour le Gold & Silver Ball** : vos parents devraient avoir suffisamment de bonnes relations pour trouver quelqu'un qui vous accompagnera, même s'il s'agit de Ned, votre cousin au deuxième degré du New Jersey qui a un problème de halitosis (ou de mauvaise haleine, pour tous les petits 1res qui n'ont pas encore commencé leurs cours de préparation aux SAT[1]).

3. **Ne pas être admise dans une seule université**. Nous savons tous comment cela se passe pour certains. Tant que papa a assez de thunes pour sponsoriser un programme de viticulture

1. Scholastic Aptitude Test : examen d'entrée à l'université. *(N.d.T.)*

dans le cadre d'études à l'étranger, en France, vous devriez vous en sortir.

2. Apparaître nue par mégarde dans un endroit horrible, comme le Metropolitan Museum of Art, ou sur une pub pour le transit que l'on voit partout. Euh… En fait, c'est un *objectif* pour certaines… alors passons à la peur numéro un…

1. Faire une fête où personne ne vient. Si quelque chose d'aussi socialement débilitant se passe, la plupart vous diront de migrer sur-le-champ sur une île au large de nulle part… à moins que ce ne soit de là que vous veniez déjà. Toutefois, si vous êtes comme moi, vous pourriez dire : « Je les emmerde ! » Je les emmerde tous. Ce qui m'amène au…

PETIT LAPIN DURACELL

Vous savez, ces gens qui n'abandonnent jamais la partie ? Ce sont les survivants – les infatigables candidats d'une émission de téléréalité, les poids lourds qui ne capituleront pas sans s'être battus. On dirait qu'ici, dans l'Upper East Side, nous avons notre propre poids lourd : **A**, notre nouvelle bagarreuse. Après un désastreux goûter en duo entre filles hier, elle a vite rebondi et on l'a vue sur les marches d'une certaine école en brique à trois étages cet après-midi, en train d'annoncer, tout excitée, qu'elle allait organiser *une autre* soirée, cette fois plus énorme que la précédente. Je l'espère ! Chapeau à ses efforts infatigables ! Nous verrons s'ils sauront porter leurs fruits…

ON A VU :

A, devant Constance Billard avec un **O** très débraillé en train de bombarder les élèves de pub pour leur fiesta. Est-ce *lui* le clou de la soirée ? Je trouve que c'est une stratégie plutôt payante…

Ses camarades de classe **G, SJ** et **J**, sans leur rouquine de chef, regarder **O** avec voracité. Couchées, les filles ! **B**, acheter un *chai latte* au **Starbucks** et le jeter aussitôt. Elle a mieux en tête ? **J**, faire des battements grandioses à Central Park, comme si elle voulait donner des coups de pied à quelqu'un. Des coups de pied violents. **R**, avec un bouc bizarre et une moustache de satyre, retenir ses larmes. Je sais que les jours sans peuvent être traumatisants, mais quand même !

VOS E-MAILS :

Q : Chère Gossip Girl,
Alors voilà, ma petite amie prétend être une lesbienne académique, et elle me fait porter des T-shirts aux messages du genre : MON OBJECTIF DANS LA VIE EST DE BOTTER LE CUL DU PATRIARCAT. Ça me met mal à l'aise. Que devrais-je faire ?
— Emo boy.

R : Cher EB,
Si tu es fou d'elle, je te dirais de les porter avec fierté, bien que personnellement, je pense que tous les T-shirts à slogan devraient être proscrits. Et si tu te mettais à choisir des T-shirts pour elle ? J'aime bien MON OBJECTIF DANS LA VIE EST D'ÉMASCULER MON PETIT AMI. Ça sonne plutôt juste, tu ne trouves pas ?
— GG

Q : Chère IGG,
Je t'appelle Imposteur Gossip Girl, IGG, parce que je ne crois pas que tu sois la vraie. Premièrement, c'est bizarre que tu dises que tu sois encore là, parce que je suis quasi sûre de savoir qui est la vraie Gossip Girl et elle est partie

à l'université. Ce que tu dis est même différent. Serais-tu, genre, sa petite sœur ? T'a-t-elle demandé de prendre la suite ? Ou a-t-elle piqué ton ordinateur ? Je parie que tu as kidnappé la vraie Gossip Girl et qu'elle est ligotée dans ton sous-sol ou autre chose d'aussi flippant que ça.
— Incrédule.

R: Cher(e) Incrédule,
Voici tout ce que je dirai à ce sujet : on se demande toujours si Shakespeare a vraiment écrit toutes les grandes œuvres qui lui sont attribuées. Mais nous ne le saurons jamais, n'est-ce pas ?
— GG (pas IGG)

Q: Chère GG,
Cette fille dans mon cours de danse classique a loupé les derniers cours. Elle est genre censée devenir la future danseuse étoile, mais notre directeur artistique en a tellement marre de ses absences qu'elle risque de se faire virer. À mon avis, elle doit souffrir de dépression n à cause de la pression et elle est cloîtrée quelque part en train de manger de la pâte à cookie à même le tube. Sais-tu ce qui se passe ?
— Future Diva.

R: Chère FD,
« Dépression n ? » Est-ce le langage des danseuses étoiles pour dire dépression nerveuse ? Si nous parlons de cette gazelle au maintien parfait et aux jambes à tomber, elle est peut-être cloîtrée, mais à mon avis, elle ne risque pas de raccrocher de sitôt ses ballerines de danse.
— GG.

OK, les jeunes ! J'ai trouvé l'antidote idéal à la déprime pré-automnale : c'est la piscine sur le toit de l'hôtel Gansevoort. Elle est chauffée et clôturée de verre, et c'est là-bas que j'ai l'intention de passer tous mes après-midi. Venez donc me faire un petit coucou !

Vous m'adorez, ne dites pas le contraire,

gossip girl

b court avec les gros chiens

Baby retourna aux Résidences Cashman mercredi après les cours : elle avait hâte de passer du temps seule avec les chiens. Sur tous ceux qu'elle avait rencontrés en ville, c'étaient de loin les plus humains.

Parce que c'est logique.

Elle remarqua J.P. debout devant l'immeuble, ses trois chiens tirant sur leur laisse. Il sourit quand il avisa Baby. Elle s'approcha de lui et se pencha pour accueillir ses chiots impatients.

— Voilà, ils sont tout prêts pour toi – ils sont tellement contents, on dirait qu'ils savaient que tu allais venir. (J.P. défroissa un pli presque invisible sur son pantalon J. Crew olive.) Ça te dérange si je viens avec vous ?

— Plus ou moins, répliqua Baby d'un ton bourru en se relevant.

Elle pensait que retrouver la nature avec des animaux l'aiderait à se détendre, mais pas si un futur homme d'affaires prétentieux la suivait. Elle attrapa les trois laisses et se mit à marcher devant lui.

— Je viens de subir une grosse pression. Je me suis dit que si je sortais avec les clebs, cela me ferait peut-être du bien, annonça J.P. en avançant d'un bon pas pour marcher aussi vite que Baby.

— Ce ne sont pas des clebs, rétorqua Baby en le foudroyant du regard.

Elle se demanda quelle pression pouvait connaître ce pourri gâté de J.P., mais décida de ne pas l'interroger. Le soleil commençait déjà à se coucher, arrosant le ciel bleu brillant de septembre de traits orange poisson rouge.

— Alors Baby, d'où vient ton prénom ? demanda J.P. tandis que Nemo s'arrêtait pour renifler un orme à l'angle de la 5ᵉ près du Frick Museum.

Le derrière blond ébouriffé du chien s'agitait convulsivement.

— Bébé de la famille, commença-t-elle. (Elle donna une version condensée de l'histoire, qu'elle détestait. Même si son prénom exprimait une vie de bohème au petit bonheur la chance où tout pouvait arriver, c'était vraiment bizarre qu'aucun médecin à Nantucket n'ait pu savoir combien de bébés Edie allait avoir.) J'étais une surprise inattendue. Je suis un triplé et ma mère pensait qu'elle allait avoir des jumeaux. Et toi ?

— Mon père a travaillé comme trader chez J.P. Morgan Chase après son école de commerce, avoua le jeune homme.

Baby le regarda fixement puis éclata de rire.

— Hé ! fit J.P. en feignant de protester quand ils entrèrent dans le Park. (Devant eux le chemin se séparait en différentes directions.) Je ne me suis pas moqué de *ton* nom !

— Excuse-moi, dit-elle, contrite, en entraînant les chiens vers l'herbe.

Darwin leva une patte pour faire pipi et Nemo s'accroupit pour faire lui aussi ses petites affaires. Son arrière-train était dangereusement proche de la sandale Jack Spade de J.P.

— Merde ! cria automatiquement Baby avant d'être prise d'un fou rire en avisant un rouleau de caca atterrir sur la lanière en cuir de la sandale.

— Merde! répéta J.P. en baissant les yeux.

Puis il rit aussi. Il grimaça quand Nemo posa des yeux innocents sur lui. Il ôta la sandale et sautilla à cloche-pied jusqu'à la poubelle la plus proche, à côté d'un vendeur ambulant de hot dogs Sabrette vert et jaune.

— Tu ne l'as pas fait exprès, hein? Baby gazouilla-t-elle à Nemo alors que le vendeur de hot dogs fusillait du regard, méfiant, le chien qui bavait.

— Je pense que si. Nemo a des *problèmes* avec moi, grommela J.P. à l'attention du chien d'un ton menaçant, lequel le regarda évasivement avec ses grands yeux marron tristes.

— Il n'y a pas que toi, dit Baby en se retournant, en ramenant les chiens en direction de la piste cavalière, puis elle regarda derrière elle et sourit en voyant J.P. debout, impuissant, près de la poubelle avec une seule chaussure.

— Viens! Marcher pieds nus ne te tuera pas! (Elle tira le poignet de J.P.) Quant à ton chien, quand a-t-il couru pour la dernière fois?

— Couru?

J.P. regarda Nemo d'un air interdit.

— Tu vois, ton maître ne s'en souvient même pas! dit Baby d'une voix taquine et accusatrice à Nemo, qui eut l'air de lui sourire. (Elle regarda J.P.) Il s'ennuie! Un gros chien doit courir et se dépenser!

Baby promena les chiens en direction de l'East Lawn clôturée, où les gens bronzaient ou pique-niquaient, tâchaient de profiter de l'un des derniers après-midi agréables. Elle détacha la laisse de Nemo, qui fit des bonds sur tout le périmètre d'herbe en aboyant comme un fou.

— Tu vois, regarde!

Baby adressa un regard de triomphe à J.P. qui traversait l'herbe à cloche-pied avec une seule chaussure.

— Je ne crois pas que les chiens aient le droit d'être lâchés ici sans laisse, annonça-t-il d'un ton nerveux en montrant une pancarte vert et blanc sur l'un des grillages qui entouraient la pelouse.

— Prends des risques! cria Baby en se mettant à courir après Nemo en aboyant.

J.P. enleva son autre sandale à la va-vite et leur fila le train, marchant sur des draps de bain en traversant la pelouse. Enfin, il coinça Baby et Nemo contre un chêne où Baby s'était écroulée, à bout de souffle, le chien baveux au-dessus d'elle.

— Tu vois, c'est ce genre de sport qu'ils veulent. Pas uniquement faire le tour du pâté de maisons, fit-elle en gratifiant J.P. d'un grand sourire.

Le ciel était joli derrière eux. Du coin de l'œil, elle remarqua un carlin obèse qui essayait de monter Shackleton. Il haletait comme un fou et on aurait dit que ses yeux ronds allaient sortir de sa grosse tête écrasée.

— Tu vas devoir faire un discours de fille à celui-là, observa J.P. en tendant la laisse Louis Vuitton de Shackleton à la jeune fille. Son polo était sorti de son pantalon et il faisait plus décontracté et plus détendu que le type en short rouge BCBG que Baby avait rencontré deux jours auparavant.

— Et à mon avis, tu devrais te mettre à porter des chaussures fermées aux orteils, le taquina Baby en s'adossant au chêne. Au fait, pourquoi un type comme toi passe-t-il du temps avec une bande de chiens? ne put-elle s'empêcher de demander. Tu n'as personne de mieux avec qui traîner ? Morgan et Stanley[1] ? Une petite amie possessive ?

J.P. haussa les épaules et s'installa à côté d'elle au pied de l'arbre.

— Ces mecs-là sont faciles à vivre. (Il ébouriffa la fourrure blonde de Nemo.) Et toi ? Tu n'as personne de mieux avec qui traîner ?

— Je viens d'arriver ici, tu te rappelles ? rétorqua Baby en dégageant une mèche châtain ondulée de ses yeux. Non pas que quiconque ici ait envie de passer du temps avec moi, marmonnat-elle.

Elle enfonça son talon dans l'herbe.

— Hé, dit sérieusement J.P. (Il s'adossa à l'arbre et ses yeux noisette chaleureux cherchèrent les siens.) Donne une chance à New York.

On dirait qu'il dit : « Donne-*moi* une chance... »

Baby opina lentement. Maintenant qu'elle était pieds nus dans l'herbe, la ville lui paraissait presque sympa. Sans toutes ces pétasses, ces uniformes affreux et le fait d'avoir laissé son petit ami, elle pourrait presque aimer New York.

Bien bien. Regardez qui change d'avis.

---

1. Morgan Stanley est l'une des plus grosses banques d'affaires de Wall Street. (*N.d.T.*)

message in a bottle

De : kelsey.Talmadge@SeatonArms.edu
À : Owen.Carlyle@StJudes.edu
Date : mardi 9 septembre, 9 h 05
Objet : Salut

Quand puis-je te revoir ?
Xo
Kat

De : Owen.Carlyle@StJudes.edu
À : Kelsey.Talmadge@SeatonArms.edu
Date : mardi 9 septembre, 9 h 05
Objet : Re : Salut

Moi aussi je veux te voir, mais ça tuerait Rhys.
Je suis désolé mais… c'est impossible.

j parle affaires

Mercredi soir, Jack descendit de la limousine des Cashman d'un air sage. Jack, J.P. et les Cashman se rendaient à la Table Ronde, un restaurant que Dick venait d'acquérir. Il était situé sur Charles Street, une rue cosy de West Village qui, en dépit du fait d'avoir été envahi de familles de people et de banquiers d'affaires, conservait encore une impression de quartier bobo. J.P. était magnifique dans son costume sur mesure, et ses yeux noisette étincelaient et allaient parfaitement avec sa cravate Hermès bleu océan. Jack ne put résister à l'envie de se coller à lui quand ils entrèrent, s'assurant bien qu'ils se trouvaient plusieurs pas devant Dick et Tatyana, la mère russe et vulgaire de J.P.

Jack était allée chez J.P. cet après-midi dans l'espoir de passer du temps avec lui car elle ne l'avait pas vu de la semaine. Il était sorti promener les chiens, mais Dick l'avait invitée à dîner et, à présent, elle était extrêmement heureuse d'être allée en virée shopping chez Barneys la veille de la rentrée des classes, parce qu'elle avait suffisamment de Jill Stuart, Phillip Lim et Miu Miu pour tenir tout le mois.

Marchant d'un pas assuré dans la rue pavée, son beau gosse de petit copain au bras, elle se sentait bien pour la première fois de la semaine. Avery Carlyle avait annoncé aujourd'hui qu'elle organisait une *deuxième* fête, mais vraiment, elle s'en moquait éperdument. En fait, cela devenait même triste. Jack se sentait presque mal pour elle.

Presque.

Dans le restaurant il y avait de lourdes tables en chêne rondes et des bergères à oreilles recouvertes de cuir rouge. On aurait dit un décor de roman de F. Scott Fitzgerald, à l'exception des serveuses super maigres à la moue boudeuse toutes de noir vêtues. On aurait dit les candidates d'un épisode de *Qui veut être la future pétasse anorexique d'Amérique ?*

L'hôtesse les escorta jusqu'à la table du centre, celle où il fallait absolument être vu, et leur présenta une bouteille de champagne Cristal. Quand Jack s'assit, son Treo vibra dans sa pochette Prada vert émeraude. Elle le sortit subrepticement et consulta le petit écran sous la table.

WAOUH ! TA VU LE BO GOSSE DE FRANGIN 2 AVE C ? MATE LE ! disait le texto de Jiffy. Une photo était jointe, celle d'un blond séduisant aux épaules de nageur musclées qui portait l'uniforme de St. Jude's. En bas, il n'y avait qu'une seule ligne : FO ABSOLU-MENT KON AILLE A SA FETE !

Jack, furieuse, rangea son téléphone dans sa pochette. Pourquoi, bon sang, tout le monde s'intéressait-il autant à Avery Carlyle et à ses pauvres tentatives de devenir populaire ? Cette pauvre wannabee ne *savait* même pas ce qu'était une fête digne de ce nom.

La jeune fille but une généreuse gorgée de son champagne pour essayer de calmer ses nerfs. Les bulles descendirent dans sa gorge en dansant, et elle sentit une chaleur pleine de picotements se répandre en elle. Avery ne savait pas ce qu'était une fête digne de ce nom, mais Jack le lui montrerait.

Comme c'est généreux de sa part !

— J'ai décidé d'organiser une fête ce week-end, annonça-t-elle, une idée se formant dans sa tête.

Puis elle eut une autre brillante idée. Elle se réjouissait d'avoir été toujours polie avec Dick Cashman car c'était le moment où cela allait payer. *Parfait*, chantonna-t-elle en elle-même.

— Vraiment? demanda J.P.

— Oui. Mais je ne sais pas où, pour que ce soit approprié. Tu sais, ce n'est pas une soirée normale; c'est pour annoncer mon intention de concourir pour le poste de chargée de liaison au conseil des superviseurs. C'est un nouveau poste à l'école pour faire respecter les vieilles traditions d'école privée; de fait, je voudrais un endroit qui refléterait la convention, mais aussi la modernité. (Jack fit un sourire confiant en répétant comme un perroquet la toute dernière réplique de Dick pour vanter les Lofts Cahsman, une propriété de luxe dans Tribeca qui devait s'ouvrir le mois prochain. Elle ne put s'empêcher de se féliciter de réfléchir aussi vite.) Cipriani est vraiment *too much*, et je ne tiens pas à louer de club, ça fait tellement *classe de seconde*, déclara Jack en vidant sa coupe de champagne d'un trait.

Tatyana opina d'un air absent, cligna de ses yeux vides et feignit d'écouter en glissant en douce un petit pain entier dans le panier des chiens. C'était incroyable que Tatyana et Dick aient réussi à avoir un enfant aussi beau que J.P. Peut-être était-ce pour cela qu'ils n'en avaient eu qu'un seul – ils ne voulaient pas se compromettre.

— Attends donc… convention et modernité, répéta Dick en attrapant un demi-petit pain qu'il tartina généreusement de beurre, ruinant le délicat motif en forme de fleur. (Il fourra le morceau de pain dans sa bouche et fit un geste avec son couteau.) Pourquoi pas les Lofts Cashman?

Ses yeux étincelaient quand il saisit le reste de la baguette d'un geste vif.

— Oh non, je ne pourrais pas, répondit Jack d'un ton doux alors que la serveuse remplissait de nouveau sa coupe.

Oh que si, elle pourrait.

— Ce serait une super publicité ! J'adorerais que vous fassiez sensation, les jeunes ! Qu'en penses-tu, J.P. ?

— Ce n'est pas ma soirée, répondit le garçon en haussant les épaules et en attrapant un petit pain au centre de la table.

— C'est *notre* soirée, gloussa Jack en gratifiant Tatyana d'un regard signifiant : « *Ce que les garçons peuvent être bêtes, parfois, mais nous les aimons quand même !* » avant de foudroyer J.P. d'un regard noir, comme pour dire : « *Déconne pas !* » Les lofts, ce sera parfait, Dick[1].

Elle sourit, toujours dégoûtée de prononcer son prénom, même après toutes ces années.

— Super, alors c'est réglé ! lança Dick d'une voix tonitruante. J'imagine que l'on a des tas de choses à fêter, pas vrai ? Personnellement, j'ai hâte d'essayer le steak, ils sont censés prendre les vaches du ranch Cashman, mais ce sera à moi de juger si ce bétail texan est à la hauteur des Cashman, déclara-t-il jovialement. Alors combien de personnes viendront à cette petite fiesta, au fait ?

Il fit signe à la serveuse qui arriva à toute vitesse, suivie du chef et de ses deux sous-chefs.

— Oh vous savez, commença Jack.

Elle ne savait pas si elle devait mentir et prétendre que la soirée serait entre intimes.

Tandis que Dick et Tatyana commandaient tout ce qui se trouvait sur la carte, Jack se tourna vers J.P. :

1. Dick : « bite » en anglais. *(N.d.T.)*

— Tu pourrais montrer un peu plus d'intérêt, tu sais, siffla-t-elle, ennuyée que son petit copain prenne la soirée de haut, comme s'il avait mieux à faire. (Avait-il mieux à faire?) Et où étais-tu passé cet après-midi au fait? Je ne t'ai quasiment pas vu de la semaine.

Les yeux de J.P., coupables, passèrent le restaurant en revue. Enfin ils se posèrent sur les ongles manucurés de Jack qui s'enfonçaient dans la nappe en lin blanc.

— Je devais promener les chiens. Pour ma mère, expliqua-t-il, même si cela ne justifiait pas tout.

Depuis quand J.P. en avait-il quelque chose à foutre de ces sacs à puces?

Juste à ce moment-là, Darwin sortit d'un bond de son panier Louis Vuitton, se rua de l'autre côté de la table, sur Jack, et planta immédiatement un baiser baveux sur son visage. Le chien lui sauta encore dessus et égratigna sa joue avec un cristal de Swarovski errant qui s'était détaché de son collier Gucci.

— Owwww! s'écria la jeune fille. (Elle porta une main à sa joue, choquée, quand elle avisa une tache de sang sur ses doigts.) J.P.! hurla-t-elle en repoussant le chien de l'autre côté de la table, vers le jeune homme.

Pour ce qu'elle en savait, des ruisseaux de sang dégoulinaient sur son visage.

— Tu lui as fait peur, marmonna J.P. en attrapant le chien sur la table.

Il le berça, protecteur, et caressa son visage ridé.

— Je *saigne*, insista Jack, furibarde.

Les gens se retournèrent pour la regarder, les serveuses s'arrêtèrent net et le chef resta planté, l'air tout bonnement horrifié.

— Oh non, fit Tatyana en s'éventant avec une serviette.

Jack porta sa serviette de soie rouge à son visage et la serra fort au cas où elle ferait une hémorragie. Elle *mourait* pratiquement pendant que J.P. câlinait un *chien* idiot qu'il avait toujours prétendu détester.

— Awww, bon Dieu! dit Dick alors qu'une serveuse se précipitait au fond du restaurant. Tatyana ne supporte pas la vue du sang. Tu vas bien, Jackie, bébé? demanda-t-il en venant à son côté.

— Je vais bien, répondit Jack entre ses dents.

J.P. ne la regardait même pas. Il observait sa mère qui hyperventilait comme si elle allait s'évanouir d'une minute à l'autre.

— Non, tu ne vas pas bien, rétorqua Dick. (Et Jack sentit un doigt grassouillet sur sa peau et son haleine de levure près de son visage. Elle crut qu'elle allait vomir.) Honnêtement, je ne supporte pas ces putains de chiens, moi non plus, mais il ne voulait pas te faire du mal. C'était juste l'une de leurs foutues décorations que Tatyana veut à tout prix accrocher à leur collier. (Il continua à examiner son visage.) J.P. peux-tu aider Jack à se laver? Je vais m'occuper de ta mère.

— Bien sûr.

J.P. se leva et tendit la main à Jack. Il était le parfait gentleman comme toujours, mais Jack crut déceler une once d'exaspération dans sa voix.

La chaise de la jeune fille produisit un raclement bruyant quand elle la repoussa et s'accrocha à la main de J.P., se dirigea la mort dans l'âme dans les toilettes pour dames et sourit aux autres clients du restaurant. Elle était blessée, mais elle allait s'en sortir.

Quelqu'un, allez lui chercher un Purple Heart[1].

---

1. Décoration attribuée aux blessés de guerre. *(N.d.T.)*

le monde entier est une scène

— Je dois avouer que je ne sais pas ce que Rhys a l'intention de faire avec ce costume ridicule, mais j'adorerais le filmer pour l'émission, confia Lady Sterling à Owen mercredi soir.

Rhys avait filé du vestiaire et demandé à Owen de le retrouver dès que possible. Il n'avait rien dit à propos de *costumes*, toutefois, et Halloween était dans plusieurs semaines.

Lady Sterling le fit entrer dans le vestibule spacieux.

— Owen chéri, veux-tu dire à ta mère que je serais enchantée de la voir. Ravie qu'elle soit rentrée au bercail, comme on dit.

Elle descendit le couloir dans un cliquetis de talons en fredonnant pour elle-même.

Rhys apparut en haut de l'escalier moquetté de rouge.

— Content que t'aies pu venir, man ! dit-il en accueillant Owen avec enthousiasme.

Il portait un costume vert clair bon marché qui semblait provenir du portant des vêtements bradés de Kmart. Une moustache clairsemée était scotchée à son visage déjà mal rasé.

— Qu'est-ce que tu manigances ? demanda Owen d'un ton nerveux.

Les garçons de l'Upper East Side aimaient-ils jouer à se déguiser ?

Seulement avec les filles de l'Upper East Side !

— J'ai dit à ma mère que c'était une initiation de l'équipe de natation. C'est un peu compliqué, expliqua laconiquement Rhys.

Il fit signe à Owen de monter. Sa chambre était encombrée de meubles anciens massifs, qui lui donnaient plus l'aspect d'une chambre d'amis dans un manoir anglais que la chambre d'un adolescent de seize ans.

— D'abord, les vêtements, dit Rhys en tendant un costume bleu pastel à Owen.

Owen secoua la tête d'incrédulité.

— Il faut que tu m'expliques ce que ce costume fiche dans ton placard.

Le costume était si dur que l'on aurait dit qu'il pouvait tenir tout seul. Owen le tint devant lui et se regarda dans le miroir de la salle de bains carrelée de blanc de Rhys, puis remarqua les étagères recouvertes de produits nickel alignés par ordre de taille au-dessus du lavabo. Il attrapa un tube rouge de You Rebel by Benefit et le sentit prudemment. À quoi servait-il ?

À se rebeller, visiblement.

— Le costume ? Ma mère l'a gagné à une vente aux enchères de bienfaisance. Ils ont vendu une garde-robe complète de *La Fièvre du samedi soir* aux enchères.

Rhys haussa les épaules.

— Bon, très bien. (Owen repartit dans la chambre, soulagé que son ami n'ait pas acheté ce costume.) Que suis-je censé faire avec ?

— Eh bien, tu vas le mettre et nous irons à pied à l'appartement de Kelsey. C'est le déguisement idéal, expliqua Rhys avec un accent bizarre, comme s'il avait bu six tequilas après s'être fait enlever ses dents de sagesse. (Il feignit de se gratter les couilles et se fendit d'un grand sourire.) Mec, je veux juste savoir avec qui elle sort, expliqua-t-il d'une voix normale.

— Et tu vas ensuite t'en prendre à lui en pantalon vingt-trois tailles trop petit pour toi? demanda Owen en regardant le bas du pantalon ridicule de son ami qui devait être trop court de quinze centimètres.

— Non, c'est juste que je ne veux pas qu'elle me reconnaisse, dit Rhys, comme si c'était le plan le plus logique au monde. Tu as dit que tu viendrais, mec. J'achèterais des beignets, proposa-t-il.

Owen regarda les yeux implorants de son ami en pensant à l'e-mail que Kat lui avait envoyé hier. Dieu qu'il voulait la voir, mais Rhys avait pleuré devant sa bière hier soir. Que pouvait-il faire d'autre?

— D'accord, acquiesça-t-il, même s'il savait que c'était une mauvaise idée.

— Merci, dit Rhys. Alors j'ai ça… commença-t-il en sortant une autre fausse moustache d'une commode massive.

Les poils, emmêlés à plusieurs endroits, ressemblaient à une flopée d'araignées qui s'accouplaient.

— C'est censé aller près de ma bouche? demanda Owen.

C'était louche : les poils de la moustache ressemblaient à des poils de pubis.

— Ouais!

Rhys la reprit, ôta une fine traînée de substance semblable à de la glu, puis la rendit à Owen.

Celui-ci secoua la tête et essaya de coller la moustache dégoûtante à sa lèvre supérieure. Puis il enfila l'atroce costume. *Je fais ça pour mon pote*, se rappela-t-il en enfilant le pantalon pattes d'éléphant bleu pastel moulant sur son boxer en coton à rayures.

— Bye maman! cria Rhys à Lady Sterling quand ils furent à la porte.

Assise dans le séjour, elle écoutait de la cornemuse bruyante tout en visionnant les quotidiennes de *Thé chez lady Sterling*.

— Si nous faisons cela, j'ai besoin de courage liquide, déclara Owen en ouvrant la voie jusqu'à une épicerie portoricaine où ils avaient déjà acheté de la bière.

Ils passèrent devant les marguerites fanées dans des seaux d'eau boueuse et se dirigèrent tout droit vers les réfrigérateurs du fond. Owen choisit des bouteilles de Colt 45 et de Olde English. Elles laissèrent des taches mouillées sur le tissu bleu ciel de son costume dégueulasse.

L'épicier regarda son costume en roulant des yeux et Owen le gratifia d'un sourire gêné. Même si le plan de Rhys était bizarre et digne d'un désaxé, il n'en était pas moins hilarant.

— Pour la route !

Il tendit à Rhys une bouteille suintante dans un sac marron quand ils sortirent de l'épicerie et passèrent devant les hôtels particuliers en direction de la 5e. Les trottoirs étaient bondés de poussettes et de mamans, mais aucune ne se retourna sur leur passage.

Il ouvrit une bouteille pour lui et la descendit d'un coup, jaugeant son ami du regard.

— Tu sais que l'on a vraiment l'air gay, hein ?

— Ouais, tu n'as qu'à être le petit copain que j'ai rencontré à Miami, d'accord ? dit Rhys en riant, mais Owen voyait bien qu'il était distrait.

Ils parvinrent à l'angle de la 76e Rue et traversèrent la 5e Avenue. Ils s'assirent sur l'un des bancs en béton qui bordaient le haut mur de pierre séparant Central Park de la rue. De là, ils bénéficiaient d'une vue parfaite du grand immeuble où vivait Kelsey, juste de l'autre côté de l'avenue.

— J'ai promis des beignets, lança Rhys en se dirigeant vers le vendeur de cafés ambulant à l'angle.

Owen passa les environs en revue. L'air était porteur d'une promesse d'automne, et il remarqua une feuille solitaire qui atterrissait lentement par terre, quand un enfant de cinq ans trop zélé en sweat à capuche orné d'un dinosaure marcha dessus.

— Donc j'imagine que tes potes à Nantucket ne te faisaient pas te déguiser en Borat pour traquer leurs ex?

Rhys flanqua un sac en papier sur les genoux d'Owen. Il se glissa à ses côtés sur le banc de bois.

Owen prit un beignet rond dans le sac.

— En fait, je n'avais pas vraiment d'amis à Nantucket, avoua-t-il. (Il rougit légèrement en se demandant s'il en avait trop dit.) Je crois que j'étais trop occupé par les filles.

— J'ai toujours voulu être davantage comme cela, répondit Rhys d'un ton songeur en buvant une autre gorgée de Olde English. J'ai toujours aimé une seule fille à la fois.

Il désigna l'immeuble devant lequel se tenait un portier extrê-mement grand, captivé. Dix étages au-dessus, un rideau lilas tout simple s'agitait à une fenêtre ouverte. Owen se demanda si c'était la chambre de Kat, et combien de temps Rhys et elle y avaient passé ensemble. Si Kat l'avait trompé cet été; probablement pas beaucoup, songea-t-il. Mais il s'en voulut alors de même y penser.

— Ce sont les petites choses qui me manquent, reprit Rhys après un moment. (Il redescendit avec gêne son pantalon, pour qu'il recouvre au moins une partie de ses chevilles.) Du genre, elle m'apportait toujours du Gatorade après l'entraînement. Je sais que c'est idiot. C'était… bien, c'est tout.

Rhys gratta la jambe de son pantalon, embarrassé. Il aimait Kelsey parce qu'elle lui apportait du *Gatorade*? Rhys espérait qu'Owen ne le prenait pas pour un gros loser. Il l'avait déjà traîné ici et forcé à porter un costume ridicule.

Owen hocha poliment la tête, sans quitter la fenêtre des yeux. Autant ce sujet le mettait mal à l'aise, autant une partie de lui était curieuse d'en savoir plus sur Rhys et Kat. Combien de temps étaient-ils sortis ensemble? Jusqu'où étaient-ils allés?

Un groupe d'élèves de troisième avec des skateboards passèrent à côté d'eux. Ils les regardèrent fixement et éclatèrent de rire. Owen avait envie de rentrer sous terre, prêt à ôter le costume et à oublier toute cette histoire stupide. Puis il réalisa : *C'est à cela que servent les amis. Ils sont là l'un pour l'autre.*

Moustaches en poils de pubis et tout le reste.

— Je n'arrive pas à croire que je te raconte ça, *man*, reprit Rhys. Mais vu que tu es mon petit ami… (Il ébaucha un demi-sourire.) Kelsey et moi ne l'avons jamais fait. Je voulais que ce soit exceptionnel, conclut-il d'un ton calme, en regardant droit devant lui.

— Oh.

Owen, la bouche pleine, marqua une pause, surpris, puis prit une autre bouchée pour avoir le temps de réfléchir. Kat n'avait donc pas menti sur la plage quand elle lui avait avoué que c'était sa première fois. Owen ne savait pas s'il devait se sentir coupable ou soulagé. Ou enchanté. Ou prêt à se suicider pour agir en si gros connard.

— Peut-être était-ce le meilleur moment pour rompre. Tu sais, l'automne est porteur de nouveaux départs… et le meilleur moyen d'oublier est de connaître quelqu'un de nouveau?

Cela ressemblait plus qu'il l'avait voulu à une question. Peut-être que si Rhys oubliait Kat – *Kelsey* – il irait bien?

— As-tu déjà été amoureux? demanda Rhys, ignorant la suggestion grivoise de son ami et le regardant droit dans les yeux.

— Ouh là là, t'es vraiment gay, bordel! fit Owen en riant, dans l'espoir de le dérider.

C'était une conversation bien trop sérieuse compte tenu de la situation délicate, surtout en costume en polyester.

— Sérieux. Quand ton seul désir, c'est tenir l'autre dans tes bras. Que tu ne peux pas t'empêcher de penser à elle matin et soir et que tu rêves d'elle, en rajouta Rhys, l'air totalement sincère, excepté la moustache qui tombait à moitié de son visage et pendillait au-dessus de ses dents.

— Ouais, acquiesça Owen.

Il connaissait ce sentiment. Il le ressentait pour la même fille.

— Je pensais que l'on se marierait un jour. Que l'on aurait des enfants, tu sais ?

— Tu es sûr que ce pantalon ne va pas te rendre stérile ? demanda Owen, mourant d'envie de changer de sujet.

— Va te faire foutre ! lança Rhys avec bonhomie en prenant une autre gorgée de bière.

Ils se retournèrent vers l'immeuble aux stores verts. Un éclat de bleu apparut. Une fille.

— Merde ! C'est elle !

Pris de panique, Rhys fit tomber la bouteille sur ses genoux. Il l'attrapa et la posa par terre à côté de lui avant qu'elle ne se renverse davantage sur le tissu vert amidonné de son costume. Déjà, on aurait dit qu'il avait fait pipi dans sa culotte.

Raison de plus pour continuer à se planquer.

Kat, en robe bleue moulante, était totalement inconsciente de leur présence. Elle se mit à traverser la rue, ses jambes bronzées se dépêchant avant qu'une voiture n'arrive.

— Elle vient par ici ! Remets ta 'stache ! murmura Rhys d'un ton furieux en brossant la jambe de son pantalon avec l'une des minuscules serviettes blanches du sac de beignets.

Owen s'exécuta, redressa sa moustache et sentit les poils rêches sur son visage alors que Kat s'approchait de plus en plus. Elle n'était plus qu'à six mètres, puis cinq, puis quatre, puis trois, et il semblait impossible qu'elle ne les reconnaisse pas.

— Ahhhh, ouais, bébé, je me disais que l'on pourrait fêter notre union civile sur la plage et ensuite, faire la fête ! lâcha Rhys avec un horrible accent.

Il se tourna vers Owen, les yeux fous.

« Pouvez-vous confirmer ma pédicure à 6 h 30 aujourd'hui ? » Owen entendit la voix de Kat à cinq cents mètres quand elle passa devant eux et leva un bras pour héler un taxi. Il observa la robe bleue virevolter autour de ses genoux. Un taxi se gara presque immédiatement et elle monta dedans.

Rhys et Owen attendirent en silence que le véhicule disparaisse.

— Ahhhhhh, ouais, bébé ! hurla Owen en tapant dans la main de son ami en signe de victoire. (Il s'en était fallu de peu. Kat avait failli les voir.) Ces déguisements sont géniaux !

— Il ne s'est rien passé, dit Rhys en secouant la tête, découragé.

— Elle n'était pas avec un mec, d'accord ?

Mal à l'aise, Owen entrechoqua sa cannette de bière contre celle de Rhys.

— Écoute, je vais t'aider à trouver une nouvelle copine. Tu sais, juste quelqu'un avec qui t'amuser. Te changer les idées, ajouta-t-il, plein d'espoir.

Rhys but une gorgée de Olde English et tâcha d'ignorer la douleur sourde dans son cœur. Peut-être qu'Owen avait raison. Peut-être avait-il besoin de trouver une autre fille. En fait, plus il y pensait, plus cela le tentait. Dès que Kelsey le verrait avec quelqu'un d'autre, elle serait tellement jalouse qu'elle le supplie-rait de revenir. Un sourire s'étala lentement sur le visage de Rhys. Quel plan parfait.

— Tu as raison, dit-il, se sentant bien pour la première fois de la semaine. Merci, *man*.

I was here

— De rien.

Owen regarda le visage de son copain s'illuminer et se sentit bien. Il avait clairement surestimé combien Rhys était anéanti. Il avait vécu le pire, et le sortir de là, lui faire rencontrer d'autres filles et s'amuser, ferait l'affaire. Bientôt Rhys oublierait Kat, et Owen et elle pourraient sortir ensemble. Tout le monde serait heureux. Owen était tellement excité qu'il ne put résister à l'envie de serrer Rhys dans une étreinte qui empestait la bière.

— Ôte tes sales pattes de moi, rota Rhys, enjoué.

Prochainement dans *Thé chez lady Sterling* : le gros mariage gay de mon fils homo à Key West !

J est secouée, mais pas franchement émue

Mardi en fin d'après-midi, Jack prit le bus M4 sur Madison pour se rendre chez J.P., tâchant de ne pas toucher de surfaces sûrement bourrées de microbes et maudissant silencieusement son père de la laisser dans un tel dénuement au point de ne pas pouvoir se payer de taxi. Geneviève et elle étaient allées chez Bergdorf's après les cours pour s'acheter des tenues de soirée, mais Jack avait rapidement découvert que faire du shopping en sachant que l'on ne pouvait rien s'offrir revenait à suivre le régime Atkins entourée de pâtisseries.

Elle ne pouvait absolument pas rentrer chez elle, où Vivienne fumait Gitane sur Gitane dans son lit depuis trois jours, portait un masque oculaire et parlait haut et fort en français au téléphone à quiconque voulait bien l'entendre, y compris la deuxième des trois épouses de Charles. Jack détestait ce que la situation avait de pathétique et d'ennuyeux, ce que sa mère aimait secrètement. Vivienne avait même suggéré que Charles avait raison, et que Jack avait *bel et bien* besoin d'apprendre à souffrir. Qu'ils aillent donc se faire foutre.

Une fois qu'elle vit la pancarte de la 68ᵉ Rue par la vitre du chauffeur, elle appuya sur la bande de scotch jaune sale pour que le bus s'arrête, éloignant sa main de son corps au cas où elle aurait été contaminée. Elle secoua ses cheveux auburn et descendit majestueusement les marches de plastique noir du bus, espérant que le portier des Résidences Cashman ne regardait pas par hasard dans la rue à ce moment-là. Elle entra d'un bond dans l'entrée bien décorée, ses ballerines noires Tory Burch claquant sur le sol de marbre noir lustré, et gratifia le portier d'un signe de tête confiant.

— Miss Laurent, dit le portier en la faisant entrer.

Jack ressentit une vague de soulagement. Ce n'était pas comme si elle *avait l'air* pauvre. Elle appuya sur le bouton de l'ascenseur privé dans lequel elle se hâta d'entrer, impatiente de sentir les bras de J.P. autour d'elle.

Frances, la domestique des Cashman qui ne souriait jamais, la fit entrer. Jack jeta un œil dans l'entrée aux sols de marbre noirs brillants, aux immenses baies vitrées, au porte-parapluie en or. En général, la déco de bric et de broc et les meubles tape-à-l'œil de l'appartement lui donnaient envie de rentrer sous terre, regrettant que la famille de J.P. ne soit pas plus *subtilement* riche. Mais aujourd'hui, l'opulence était tout simplement accablante. Elle tâcha de garder l'équilibre en montant l'escalier en colimaçon qui conduisait à la garçonnière de J.P. au dernier étage.

— Salut !

Il portait un polo Lacoste rouge et un chinos Ralph Lauren bien repassé. Il sourit, d'irrésistibles fossettes se formèrent dans ses deux joues.

— Tu es jolie. Je l'ai bien dit ? la taquina-t-il quand il la fit entrer dans sa chambre et referma la porte.

Chaque fois qu'elle le voyait – cheveux châtains avec une raie sur le côté impeccable, yeux noisette intelligents, menton buriné et corps taillé pour le rugby ou le squash – Jack avait l'impression que tout allait bien dans son monde. Il était son prince, elle sa princesse. Et ce week-end, ils organiseraient une fête, montreraient au monde entier qu'ils étaient *ensemble*.

— Tu vas bien? demanda J.P. en dégageant une mèche auburn de son visage.

— Bien, mentit-elle. Juste stressée à cause de la danse. Elle ignora le brusque éclair de culpabilité qui jaillit dans son ventre. J.P. était tombé amoureux d'elle avant qu'elle ne devienne lunatique, dépressive et pauvre. Elle devait être la fille qu'elle était il y a quelques jours. C'était celle qu'il aimait. Et elle redeviendrait sûrement cette fille très bientôt.

Elle l'étreignit, respira son parfum habituel, Romance de Ralph Lauren, puis lui fit un baiser lent et torride. Elle avança d'un pas vers le lit et déboutonna lentement son cardigan, planta ses yeux verts dans les yeux noisette de J.P. et lui adressa ce qu'elle espérait être un regard sensuel et aguichant.

Soudain, la porte s'ouvrit à la volée et Dick Cashman entra d'un coup. Un assistant maigre à lunettes était à ses basques, portant des bottes de cow-boy assorties à celles de Dick.

— Nom de Dieu de nom de Dieu! lança Dick d'une voix nasillarde quand il vit Jack remettre à la hâte son cardigan sur ses épaules. Je vous laisse redevenir présentables, les jeunes!

Il claqua la porte tandis que Jack défroissait hâtivement sa blouse. Ce n'était pas comme s'ils *faisaient* quoi que ce soit.

Pas encore en tout cas.

— J'imagine que je devrais aller voir ce que veut papa, dit J.P. en haussant les épaules et en ouvrant la porte.

— J'arrive, grommela Jack.

Cela ferait extrêmement lâche de rester tout simplement dans la chambre de son petit ami après avoir été découverte en situation compromettante. Elle feignit d'être Grace Kelly. Le père du prince de Monaco avait sûrement dû entrer sans prévenir et les surprendre, le prince et elle, la première fois qu'ils avaient couché ensemble, non ?

Serait-ce cet après-midi où la princesse Grace est tombée d'une falaise en voiture ?

— Donc, la chiotte. Jack entendit dans le couloir la voix tonitruante de Dick qui faisait la visite guidée à son assistant. La NASA l'a conçue. En temps normal, on n'en trouve que dans des vaisseaux spatiaux. J'ai vu un documentaire dessus et je me suis dit : « Merde alors, je vais en acheter une ! » Faite sur mesure pas plus tard que la semaine dernière !

Le père de J.P. adorait acheter des jouets ridiculement chers et des gadgets inutiles. Mais contrairement au père de Jack, il faisait *au moins* vivre sa famille, lui.

— Salut papa, l'interrompit J.P. en descendant les marches de sa suite dans l'entrée. Jack traîna derrière lui. Même trois mètres plus haut, elle vit M. Cashman faire un clin d'œil à son fils. Elle boutonna son cardigan jusqu'au cou, tâchant de ne pas être embarrassée.

— Désolé pour l'interruption, gloussa Dick en rejoignant J.P. d'un bon pas. (Les bottes de cow-boy de son assistant produisirent de bruyants cliquetis sur les sols qui venaient d'être cirés.) Mais je voulais te montrer ce que les chiens ont ramené.

Baby Carlyle, ses pommettes saillantes maculées de crasse, regardait d'un air interrogateur derrière la masse corpulente de Dick.

Surprise !

— Salut ! (Baby salua J.P. avec enthousiasme. Elle attacha ses cheveux emmêlés au-dessus de sa tête et se fendit d'un sourire malicieux.) Désolée de prendre les chiens en retard, mais j'ai trouvé l'endroit idéal pour les faire courir ! C'est à Fort Tryon

Park dans le Bronx et c'est génial! Nemo adorerait. J'en parlais justement à ton père.

— Ça m'a l'air super pour les chiennes! dit Dick Cashman en se penchant pour caresser Nemo. Vous voulez y aller en hélico? proposa-t-il.

— Non! répondit J.P. mal à l'aise.

Jack regarda Baby en plissant ses yeux verts, laquelle n'avait même pas remarqué qu'elle se tenait en haut de l'escalier. Que fichait *donc* cette moins-que-rien maigrichonne dans l'appartement de son petit ami?

— D'accord, comme vous voulez, les jeunes, dit Dick Cashman, l'air déçu, en reprenant les couloirs labyrinthiques qui menaient à son bureau. Son assistant lui courut pratiquement après.

— Merci! dit Baby en gratifiant le dos de M. Cashman d'un sourire affectueux.

Tout d'abord, elle n'avait pas su comment appréhender M. Cashman, mais plus elle lui parlait, plus elle aimait comme il était vulgaire et quelconque. Il avait beau être l'un des hommes les plus riches de New York, au moins il s'éclatait avec son argent au lieu de s'en servir uniquement pour que les autres se sentent mal.

— Alors tu es venue chercher les chiens? demanda bêtement J.P.

Il avait l'air bizarre et le duvet pêche dans la nuque de Baby se hérissa en guise d'avertissement. Elle leva les yeux pour voir Jack Laurent en haut d'un escalier en spirale, qui la fusillait du regard. Elle portait un cardigan en cachemire boutonné jusqu'en haut de son long cou gracieux de ballerine. Elle irradiait le mal.

Jack descendit lentement, la tête haute, et se campa à côté de J.P., possessive.

— Oh, euh, Jack, voici Baby. Elle nous donne un coup de main pour les chiens.

— On s'est rencontrées, répondit Jack d'un ton glacial en plissant les yeux. (Quand J.P. lui avait dit qu'il sortait les chiens hier, les promenait-il avec *Baby Carlyle* ? Était-ce ce qu'il avait fait toute la semaine après les cours ?) Et nous nous occupons des chiens aujourd'hui, ajouta-t-elle d'un ton froid.

Attention, les toutous, vous allez assister à un crêpage de chignon !

J.P. toussa et prit les laisses des mains de Baby.

— Ouais, désolé de ne pas te l'avoir dit plus tôt, dit-il, sans la regarder dans les yeux. (Shackleton geignit.) Ça te va si l'on te paie demain ?

Baby laissa aller son regard de J.P., qui fixait la fourrure emmêlée de Nemo, à Jack, qui avait les bras croisés sur sa poitrine.

— Bien sûr, super, répondit Baby la voix dégoulinante de sarcasme. (Elle voyait parfaitement ce qui se passait et s'il voulait jouer à ce petit jeu parce qu'il redoutait le courroux de sa bombasse de petite amie, ce n'était pas elle qui l'en empêcherait.) Je repasserai chercher le chèque demain.

Elle s'en alla comme un ouragan, étonnée d'avoir aussi mal.

Quand elle sortit de la tour Cashman, elle prit son portable pour appeler Tom et regretta pour la millionième fois qu'il ne soit pas ici avec elle ou qu'elle ne soit pas là-bas avec lui. Elle tomba immédiatement sur sa boîte vocale et rejoignit le centre en toute hâte dans l'obscurité qui tombait, en se demandant pourquoi elle se sentait brusquement plus solitaire qu'elle ne s'était sentie de la semaine.

Pauvre bébé.

— Alors comme ça, ton père a *embauché* Baby Carlyle ? demanda Jack d'un ton doux une fois que J.P. eut enfermé ses carlins et son labradorable puants et baveux dans la salle de jeux des chiens à l'autre bout de l'appartement. Elle se rendit sur la terrasse et ouvrit les portes coulissantes. Il y avait une brise fraîche et elle voyait des gens entrer et sortir de Central Park. Elle était ici chez elle, pas dans un grenier rempli de vieilleries qui sentait le moisi. Son cœur ralentit. Tout allait *bien*.

Ou tout était *parfait* ?

— Ouais. Pour promener les chiens. Tout va bien ? demanda J.P. en s'asseyant à une extrémité du sofa bas en vachette ultra-moderne.

Le bureau des Cashman était une pièce immense à plusieurs niveaux agrémentée de grandes bibliothèques remplies de premières éditions non lues et dorées. Les murs étaient flanqués de statues et de cadres de diverses tailles, dépareillés, de sorte qu'un Chagall était accroché à côté d'un Seurat, lui-même suspendu à côté du portrait d'un personnage médiéval avec un sceptre et des colombes qui volaient trop près de sa couronne bien trop petite.

Jack se détourna de la terrasse et se dirigea vers le petit bar en acier martelé. Elle savait qu'elle pourrait toujours appeler Roger, le majordome, pour qu'il leur serve à boire, mais c'était bien plus romantique qu'elle prépare elle-même les boissons. Elle se sentait très « épouse de l'Upper East Side, qui accueillait son mari à la maison après une longue journée de travail ».

— Tu es sûr que Baby Carlyle va bien ? demanda-t-elle en versant de grandes rasades de Bombay Sapphire et de tonic dans deux grands verres.

— Pourquoi pas ? fit J.P. en s'agitant sur le divan et en la regardant remuer le mélange.

Elle lui adressa un sourire doux en lui donnant son verre.

— Elle est dans ma classe à Constance. Apparemment, elle est mentalement instable. Sa sœur a dit qu'elle avait une sorte de problème.

Jack haussa nonchalamment les épaules en s'asseyant sur les genoux de son petit copain.

— Elle a l'air d'aller bien, répondit J.P. en la faisant glisser sur le divan.

— Les apparences peuvent être trompeuses.

Jack tâcha de ne pas avoir l'air inquiète mais, en vérité, intérieurement, elle flippait. Pourquoi J.P. ne la violait-il pas tout de suite ? Souhaitait-il promener les chiens avec une moins-que-rien maigre et antimode comme Baby ? Et pourquoi les Carlyle mettaient-elles un point d'honneur à lui pourrir la vie ?

Elle sirota son cocktail et examina le verre en métal lourd qu'elle tenait. L'environnement lui sembla soudain très opulent. Tout ce qui était en or et qu'elle n'avait pas encore remarqué lui parut brusquement hors de portée. Ce n'était pas juste. Une larme de frustration se mit à ruisseler sur sa joue. Elle voulait donner un coup de poing dans quelque chose.

Ou plutôt dans quelqu'un ?

— Tu vas bien ? demanda J.P. Écoute, Baby ne faisait que promener les chiens. On ne va pas en faire un plat.

— Je ne pleure pas à cause *d'elle*, gémit Jack. C'est juste…

Elle perdait vraiment la face.

— Alors quoi ? fit J.P. en cherchant son visage des yeux.

— Il y avait cette robe, inventa-t-elle, réalisant combien elle avait l'air stupide dès lors que les paroles sortirent de sa bouche. Mais elle ne pouvait pas avouer qu'elle se sentait menacée par une promeneuse de chiens. Ni lui dire que ses amies ne cessaient de parler du frère d'Avery Carlyle. Ou que son père ne lui payait pas ses cours de danse. Ni lui parler de sa mère mélodramatique et de son appartement dans un grenier moisi. Après tout, qui voudrait être vu avec une *loser* pauvre ?

Parce que pleurer à cause d'une robe imaginaire, ça se fait ?

— Une robe? (J.P. enleva sa main de son dos.) Tu *pleures* à cause d'une robe? demanda-t-il, incrédule.

— Je ne pleure pas!

Une petite larme dégoulina sur sa joue.

Et l'Oscar est attribué à…

Jack contempla le beau visage carré de J.P., souhaitant qu'il la comprenne. Mais elle ne parvenait toujours pas à lui dire la vérité. Elle essuya une larme avec un doigt rose manucuré.

— Je voulais la porter pour la fête, ajouta-t-elle.

— Comment est-elle?

Elle fronça les sourcils d'un air pensif.

— Elle est… rose, dit-elle, en pensant à la robe à fanfreluches que portait la petite fille de cinq ans qui avait aménagé dans son hôtel particulier. Aux manches bouffantes. Et avec un gros nœud blanc.

— OK, dit lentement J.P. Barneys?

— Oui.

Elle se blottit contre lui. Rien qu'être tout près de lui la faisait se sentir bien mieux.

— Je te l'achèterai. Mais tu ne devrais pas te faire trop de souci pour de petites choses.

J.P. la serra fort contre sa poitrine virile et Jack frotta sa joue sur le coton doux de son polo.

— Si tu continues à stresser à cause des petites choses, les grandes choses te tueront.

Tu crois?

b fait une sortie hâtive

Pour le cinquième et, avec optimisme, dernier jour, Baby enfila la jupe hideuse en crépon de coton de Constance Billard et, dans l'immense cuisine dépouillée, elle attendit son frère et sa sœur pour aller en cours. Elle se demandait pourquoi elle avait même pris la peine de rester aussi longtemps à New York. J.P. était la seule personne qu'elle avait rencontrée grâce à qui peut-être, mais alors peut-être, la ville pourrait être différente. Et voilà qu'elle découvrait qu'il était comme les autres.

— J'ai reçu un coup de fil de Mme McLean de Constance Billard. Tu as séché une sorte d'heure de service ? demanda Edie en entrant dans la cuisine en jupe blanche vaporeuse, ses cheveux retenus par des stylos Bic bleus en un semblant de chignon.

— Ouais, c'était un stupide malentendu, répondit allégrement Baby.

Elle ne voulait pas entrer dans les détails. Ce serait bien plus facile de s'occuper de cela une fois de retour à Nantucket.

— Hummm hummm, acquiesça Edie. J'imagine bien que Mme McLean serait plus stricte que ce à quoi tu es habituée, mais tout de même, chérie, jurer en français ? Tu ne peux pas trouver de moyens plus créatifs de t'attirer des ennuis ? (Elle s'assit sur un tabouret à côté de Baby, caressa ses longs cheveux châtains emmêlés.) Si tu as besoin de tout réorganiser de fond en comble, fais-le bien.

Edie opina sagement, se leva, puis sortit de la pièce en flottant, comme une espèce de bonne fée psychédélique partie prodiguer des conseils au prochain indiscipliné qui en avait besoin. Baby marqua une pause. Déménager à Nantucket toutes ces années auparavant avait-ce été la façon d'Edie de « tout réorganiser de fond en comble » ?

Elle soupira, passa leur nouvelle cuisine spacieuse en revue. Chez elle, la cuisine avait toujours été un lieu de rassemblement, mais jusque-là personne n'y avait jamais fait la cuisine. Elle s'assit sur l'un des tabourets de bar brillants alignés devant le comptoir en granite noir étincelant. Elle attacha ses cheveux en queue-de-cheval de côté lâche et appuya sur le 1 de sa numérotation rapide.

— Hé Babe, dit Tom de sa voix de défoncé endormi.

C'était avec cela qu'elle avait préféré se réveiller tout l'été.

— Hé !

Elle tâcha d'avoir l'air optimiste en attrapant une orange dans le saladier en teck gravé sur le comptoir et en enfonçant le pouce dans sa peau.

— 'Jour.

Sa voix était râpeuse. Elle entendait sa voiture klaxonner et aurait bien voulu qu'il tourne au coin de sa rue dans sa Cougar poussiéreuse, prêt à la conduire à l'école.

Baby soupira. La dernière matinée qu'ils avaient passée ensemble, c'était après avoir veillé toute la nuit. Vendredi dernier, ils avaient tenu moins de cinq secondes dans un club bondé du Meatpacking District. Après avoir fait une sortie précipitée, ils avaient traversé les avenues en courant et en gloussant, s'étaient arrêtés au Gray's Papaya sur la 6e pour partager un hot dog puis avaient fait des câlins sous un auvent près du Coffee Shop à Union Square. Quand ils étaient rentrés chez eux, le soleil se levait et un vendeur sympa du marché bio leur avait donné des muffins gratuits. Tout cela semblait si loin.

— Alors, dans quelles folles aventures t'es-tu fourrée, *hippie girl*? demanda Tom.

Baby mordit un quartier d'orange. C'était gênant d'avouer que, jusque-là, les temps forts de son séjour dans la ville la plus excitante du monde avaient consisté à promener les chiens d'un gosse pourri gâté de l'Upper East Side – gratuitement.

Y a plus glam', comme vie.

À ce moment-là, Avery et Owen entrèrent dans la cuisine en parlant, tout excités.

— D'accord, consigne ta liste d'invités par écrit. Les nageurs au stylo vert. En fait, tous les athlètes au stylo vert. Tous les autres en bleu, rectifia Avery qui regardait un bloc-notes en fronçant les sourcils, comme si elle travaillait à la porte du Bungalow 8. Tout ce à quoi elle avait pu penser ces deux derniers jours, c'était que sa deuxième soirée serait beaucoup mieux que la première. Premièrement, il y aurait de l'alcool et deuxièmement, il y aurait des garçons – les deux ingrédients clés pour gagner toutes les filles de Constance à sa cause.

Amen.

Baby se tourna vers le coin de sorte qu'elle ne fût pas interrompue.

— Il ne se passe pas grand-chose par ici. La routine, j'imagine. Et toi? demanda-t-elle veillant à ce que la conversation reste légère.

— Hé, attends… (Il y eut de la friture au bout du fil. Baby rapprocha le téléphone de son oreille. Tout à Nantucket lui semblait si… loin.) Désolée, je vais chercher Kendra, faut que je me grouille. Tu me manqueras ce soir.

— Et si tu faisais la soirée samedi soir ? Je pourrais venir comme ça, l'implora Baby.

Avery s'arrêta en plein milieu de sa phrase – elle demandait à Owen de pousser ses coéquipiers à être ultra-sympas. Elle arracha le téléphone des mains de sa sœur et porta le petit Nokia à son oreille :

— Tom ? Ouais, Baby ne viendra pas ce week-end. Elle doit assister à une fête samedi soir. J'ai l'impression que tu te retrouveras seul avec ta pipe à eau.

Avery se fendit d'un grand sourire malicieux.

— Rends-le-moi ! siffla Baby en lui reprenant le téléphone d'un coup sec. Désolée. Donc tu peux déplacer la soirée à samedi ? demanda-t-elle en baissant la voix.

Elle détestait avoir l'air implorante, mais elle préférait passer huit heures à voyager dans un bus Greyhound dégueulasse pour être près de lui devant le feu de joie que se rendre à la soirée d'Avery-qui-essayait-de-s'intégrer-à-Pétasseland.

— Oh, *man*, j'adorerais, c'est clair, mais tout est réglé. On a la mousse, on a la bouffe, et tout est déjà prêt, tu vois ? dit Tom.

Derrière lui, elle entendit une portière claquer.

— J'imagine, répondit Baby avec raideur.

Elle ne comprenait pas vraiment pourquoi Tom ne pouvait pas déplacer la soirée. Qu'avaient donc d'autre à faire les jeunes du Nantucket un samedi soir ? Baby reposa lentement son orange, étonnée de penser ce genre de choses. C'était comme si les attitudes de garce des autres filles avaient déteint sur elle.

On ne t'avait pas dit que c'était contagieux ?

— Hé, Baby, faut que j'y aille, dit brusquement Tom. Amuse-toi bien et ne t'attire pas d'ennuis.

Il raccrocha. Baby écouta le silence au bout du fil pendant

quelques secondes, puis rangea lentement son téléphone dans sa besace.

— J'en ai déjà parlé aux mecs et ils sont hyper partants pour la fête, lança Owen en caressant son nouveau bouc blond.

Il s'empara de l'orange de Baby et en mangea quelques quartiers. Il était étonnamment beau avec sa moitié de barbe, comme un acteur shakespearien.

Ou un pirate. Il ne lui manquait plus qu'une jambe de bois.

— Vous allez faire une fête? (En entendant la conversation, Edie revint dans la cuisine en flottant.) Où se passera-t-elle? demanda-t-elle.

Elle s'adossa au comptoir et réarrangea distraitement les fruits en pyramide aléatoire. Elle pensait sûrement à la soirée de solstice d'été qu'elle avait organisée l'an dernier, où tout le monde avait terminé en train de tambouriner en cercle sur la plage.

Si l'on remplace « gala en tenue de soirée » par « cercle de tambourinage » et « plage » par « hôtel particulier », c'est *à peu près* la même chose.

— Bien, j'espérais la faire dans la maison de grand-mère, commença Avery en sachant que sa mère ne pourrait pas dire non. Elle avait caressé l'idée de louer un club et même visité quelques lieux branchés du Meatpacking District. Mais elle avait réalisé par la suite que les clubs étaient pour ceux dont les appartements étaient trop petits pour faire de *vraies* fiestas et que l'hôtel particulier de grand-mère Avery avait déjà abrité de nombreuses soirées historiques. De plus, qui n'aimait pas les parties de campagne?

— C'est une idée géniale! s'exclama Edie en frappant dans les mains, ses bracelets turquoise omniprésents cliquetant. J'adorerais inviter du monde. À quel jour penses-tu?

— Samedi, avoua Avery en réajustant son bandeau gris Marc Jacobs orné de bijoux dans ses épais cheveux blonds. Même si

Jack Laurent avait annoncé *qu'elle* faisait une soirée ce même soir, Avery n'allait pas changer ses plans. Elle était d'autant plus déterminée à organiser la meilleure fête que l'Upper East Side n'avait jamais connue, et montrer à Jack une bonne fois pour toutes qu'elle ne plaisantait pas.

Le visage d'Edie s'assombrit.

— Mais c'est la soirée de vernissage de l'exposition chinchilla ! J'y vais avec l'un de mes vieux amis, Piers Anderssen. C'est maintenant un artiste expérimental de Brooklyn, mais il l'a choisi. Il a transformé tout son appartement en forêt pluviale indigène, qui sera ouverte au public samedi soir. Il faut que j'y sois.

— Ce n'est pas grave ! répondit rapidement Avery.

Elle adorait sa mère, mais ses excentricités avaient déjà été suffisamment bizarres à Nantucket. De plus, ce ne serait pas le genre de soirée « mélange-toi-à-tes-parents-en-sirotant-une-tasse-de-thé ». Elle avait déjà tenté cette approche et elle ne referait pas la même erreur.

— D'accord, dit Edie en fronçant les sourcils. Je suis ravie d'apprendre que vous vous intégrez déjà, les enfants.

— Merci maman.

Avery embrassa la joue de sa mère qui sentait la menthe poivrée et fit signe à son frère et sa sœur de la suivre pour se rendre à l'école.

C'était bizarre d'aller à pied ensemble en cours, songea Baby quand elles entrèrent dans l'ascenseur. Cela lui rappelait l'école élémentaire.

— Donc revenons à la soirée, déclara Avery quand les portes de l'ascenseur s'ouvrirent dans l'entrée. Je dois absolument savoir qui est pris, qui est libre et…

— Vous savez quoi ? Il faut que je m'arrête pour prendre un

jus de fruits. Je vous rattraperai, lança Baby une fois qu'ils furent dehors.

Elle ne tenait pas à écouter Owen et Avery discuter de cette fête débile.

— Tu es sûre? (Baby vit un éclair d'inquiétude fraternelle traverser le visage de sa sœur, mais il disparut rapidement.) OK, à plus.

Elle haussa les épaules.

Baby acheta un thé tiède à un vendeur ambulant sur la 5e et traîna jusqu'à ce qu'elle les perde de vue. Elle rejoignit délibérément le centre-ville sans se presser et passa les portes de Constance au moment où elle entendit la première sonnerie. Elle entra en cours de français avec quelques minutes de retard sans même s'être arrêtée pour prendre son livre dans son casier. Mme Rogers la détestait déjà, la chance qu'on lui laisse la parole était donc quasi nulle.

— *Vous êtes très en retard**, déclara Mme Rogers d'un ton sévère.

Elle ne leva même pas les yeux du tableau où elle expliquait le subjonctif.

« Elle ne veut pas dire *attardée*? Regarde son T-shirt », Baby entendit-elle Geneviève murmurer à Jiffy.

Même Avery ne leva pas les yeux.

— *Je m'excuse**, marmonna Baby en allant s'asseoir près de la fenêtre.

— *Vous devez vous rendre dans le bureau de la directrice**, reprit Mme Rogers en se campant devant le bureau de Baby. Vous perturbez le cours ou vous ne prenez pas la peine de venir. Vous n'êtes plus la bienvenue dans cette classe, ajouta-t-elle d'un ton ferme.

Baby leva les yeux. Elle ne s'était pas attendue à se faire virer de ce cours, surtout qu'elle n'avait rien fait. Le visage brûlant, elle se leva, prête à se rendre dans le bureau de la directrice d'un pas lourd.

— *Comment dit-on* loser* ? entendit-elle Jack murmurer quand la porte se referma.

Baby secoua la tête. Pas la peine d'attendre la troisième prise de leur règle – elle était *out*, ça y était. Elle descendit le couloir jusqu'à l'entrée désertée et faillit rentrer dans Mme M.

— Baby, il semble que nous ne nous soyons pas comprises et que vous n'ayez pas intégré que vos travaux d'intérêt généraux étaient obligatoires. Je tiens à vous rappeler qu'ils le sont. J'ai hâte de vous y voir cet après-midi, dit Mme M. en lui souriant avec ses yeux noisette chaleureux, lui laissant encore le bénéfice du doute. Si Baby ne détestait pas tant cet établissement, elle aimerait presque Mme M, mais elle savait ce qu'elle avait à faire.

— Je ne pourrai pas les faire. *Jamais.* (Elle ne se retourna pas pour voir le choc sur le visage de la directrice quand elle se dirigea vers la porte.) Désolée.

Une fois la porte fermée derrière elle, elle descendit les marches à toute allure et laissa échapper un sifflement perçant. Un taxi s'arrêta dans un crissement de pneus et toutes les filles dans les salles de classe du premier étage se retournèrent pour regarder par la fenêtre.

— Port Authority, annonça-t-elle tranquillement au chauffeur du taxi en baissant la vitre.

Mme M., arrivée en haut de l'escalier imposant de Constance, la regardait fixement. Baby lui adressa un petit geste de la main puis appuya sa tête contre le siège en cuir.

C'est ce qui s'appelle faire sa sortie !

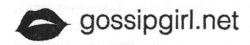 **gossipgirl.net**

Avertissement : tous les noms de lieux, personnes et événements ont été modifiés ou abrégés afin de protéger les innocents. En l'occurrence, moi.

Salut à tous !

La première semaine de cours est terminée et il est temps de se ressaisir. Peut-être avez-vous fait un *fashion faux pas*, peut-être vous êtes vous déjà fichu la honte en cours ou peut-être aviez-vous tellement la gueule de bois que vous n'avez même pas pu arriver en classe. Pas de panique. Qui ne commet pas d'erreur une fois de temps en temps ? (À part moi, peut-être.) Profitez du week-end pour vous inscrire en cours accéléré de désintox dans un centre réputé.

Vous savez que dans les magazines féminins que nous feignons de ne pas lire, il y a toujours des articles intitulés « Trouvez un mec avant le 4 juillet » ou « Dix conseils pour avoir une peau parfaite » ? Je ne vous promets rien. Ce n'est pas comme si l'on pouvait effacer le passé et si vous avez *bien* fait un faux pas, vous devrez vivre avec pour les années à venir. Mais si vous faites ce que je dis, vous ne serez peut-être pas obligées de déjeuner cachées aux W.-C. pour le reste de votre carrière au lycée.

1. Trouvez un membre du sexe opposé et entamez une relation pas discrète du tout et ultra-chaude – très publiquement. Il n'y a pas meilleur moyen de faire oublier aux gens un potin très crous-tillant en leur en offrant un autre dont ils peuvent discuter.

2. Effectuez le contrôle des dégâts de votre look. Continuez à

porter ce que vous portez – l'originalité est la clé – mais gardez toujours des indispensables. Assurez-vous de sentir toujours bon – il y a largement la place pour votre déodorant dans votre casier ! – et portez de super chaussures, même s'il s'agit des vieilleries seventies de votre mère.

3. Faites la fête comme une rock star. Devenez celui ou celle avec qui tout le monde veut traîner. Ça ne devrait pas être trop dur, n'est-ce pas ?

Et à propos de faire la fête, nous avons deux soirées sous la main. Des esprits curieux veulent savoir à laquelle je me rendrai. Eh bien, c'est comme acheter un bungalow en front de mer à St. Bart : tout est une question d'emplacement. Faire une fiesta dans un club attire l'attention sur vous, mais franchement, qu'est-ce que cela peut vous faire si les jeunes de Duluth, Minnesota, vous jalousent parce qu'ils ont vu les photos sur Gawker ? Sachez que l'Internet n'oublie jamais et que donc, parfois, la discrétion *est* la clé. Une fois de plus, vous êtes quasiment assurées que quelqu'un finira par baisouiller sur votre lit. Le meilleur des deux mondes serait, naturellement, de faire votre teuf dans un hôtel ultraclasse pas encore ouvert au public. Des lits dans lesquels personne n'a jamais dormi avec des draps en coton égyptien à cinq cents fils, un bar hyper bien achalandé et pas de règlement ? Y a-t-il mieux au monde ?

En un mot : non. Raison pour laquelle la super futée **J** a opté pour l'option susmentionnée – dans *le* complexe le plus tendance de tout New York. C'est un immeuble tout vert avec des chutes d'eau de pluie recyclée dans toutes les chambres. Devenir écolo n'a jamais été plus sexy. Comptez sur moi !

Mais ne comptez pas sur une fille toute simple de Nouvelle-Angleterre. Le thé glacé et l'architecture spectaculaire ne peuvent pas rivaliser avec l'écolo-chic. **A** ferait mieux de laisser tomber sa fête et espérer être invitée à celle de **J**. Sinon elle pourrait simplement se consoler avec une bonne tasse de thé...

ON A VU :

R, au rayon développement personnel chez **Barnes & Noble** sur la 86ᵉ, en train de lire : *Vous ne comprenez pas : les hommes et les femmes dans la conversation*. Je pourrais me libérer si jamais il a besoin d'une interprète... **A** et **S** au labo d'informatique. On regarde du porno lesbien, vous deux ? **B,** dans le bus Greyhound pour Boston. On s'en va déjà ? Qui promènera les chiens ? **S**, la tatouée et la percée, encore chez **Toys in Babeland** à une conférence sur : « Grivoiseries littéraires : comment lire de l'érotisme. » Ça m'a l'air éducatif !

VOS E-MAILS :

Q: **Q** : Chère GG,
Pourquoi toujours détester **A** ? Es-tu **J** ? Ou **B** ? En fait, j'ai entendu dire que **N** a passé du temps à Nantucket cet été. Je parie que tu n'es qu'une amante éconduite et que c'est pour cela que tu gardes une dent contre **A**. Même si ce n'est pas le cas, c'est bizarre que tu ne parles pas de tous ces gens qui t'ont si longtemps obsédée.
— Curieuse.

R: **R** : Chère C,
Désolée de te décevoir, mais je ne suis ni **J**, ni **B** ni **N**. Et si je garderai toujours dans mon cœur une place spéciale pour **N** et ses yeux verts brillants, j'ai deux nouvelles obsessions : **R** et **O**. Suivez le rythme, tout le monde. Les temps changent !
— GG

Q: Chère Gossip Girl,

Je vis dans le West Side et je prenais le bus pour rentrer chez moi tard le soir d'une séance de révision quand j'ai vu ce groupe de types BCBG aux poils du visage bizarres qui traversaient à toute allure la partie transversale en direction de la mare aux canards. C'est quoi ce bordel ?

— Studieuse

R: Chère S,

Tu étais dans un groupe de révision tard le soir ? C'est la première semaine de classe ! À moins que tu n'étudies l'anatomie d'un mâle particulier, tu as besoin de te détendre ou l'année scolaire sera loooongue. Quant à ce que tu as vu… eh bien, c'est *presque* la pleine lune, donc c'est soit des loups-garous, soit une initiation minable à des sports d'équipe. La prochaine fois, laisse tomber la séance de bachotage et mène l'enquête !

— GG

Q: Chère Gossip Girl,

Je viens d'aménager en ville avec mes trois enfants et je les ai à peine vus depuis que nous sommes arrivés. À mon époque, nous sortions au Studio 54 et traînions avec Andy Warhol et le reste de la Factory pour faire de l'art ! Aujourd'hui tout le monde a l'air de courir partout dans tous les sens, à essayer de baisouiller les uns avec les autres. Où est la création ?

— KEEPTHEARTINHEART

R: Chère KTAIH,

Ne sois pas aussi négative sur notre génération. Nous mettrons nos séances de baisouillage sur Internet pour que tout le monde puisse les regarder. La vie en tant qu'art est très très chaude.

— GG

Q : Chère GG,

J'organise une fête ce week-end. Tu veux venir ? Tout le monde sera là et j'organiserai un concours Dance Dance Revolution.

— PARTAYLIKEAROCKSTAR

R : Chère PARTAY,

Tentant, mais je pense que mon agenda mondain est un peu rempli ce week-end. D'après ce que me disent mes sources, il n'y a pas qu'une mais *deux* grosses soirées qui se dessinent auxquelles je dois simplement assister. Bonne chance pour le concours.

— GG

Oups, je suis en retard pour mon massage-gommage au gingembre chez Bliss. Vous tenir informées, tout le monde, c'est épuisant. On se voit pour certains – tous les VIP, en tout cas – à la soirée super sélecte de la nouvelle propriété la plus classe de Tribeca. Indice : je ne porterai pas de pantalon super moulant, de chapeau de cow-boy ou ne trimballerai pas d'ami en fourrure.

Vous m'adorez, ne dites pas le contraire,

gossip girl

si ce n'est pas maintenant, alors quand ?

De : Kelsey.Talmadge@SeatonArms.Edu
À : Owen.Carlyle@StJudes.edu
Date : vendredi 12 septembre ; 15 h 00
Objet : Maintenant ?

*en amour, **o** cire les pompes de **r**...*

— Tu es prêt? demanda Rhys en rejoignant les casiers après l'entraînement de natation vendredi. (Il était complètement habillé, sa besace de cuir marron Tumi balancée sur son épaule. Owen glissa furtivement son iPhone dans sa poche. Il venait de recevoir un e-mail de Kat et avait même des fourmis dans les doigts rien qu'en pensant à elle.) J'ai pris un rendez-vous pour nous, ajouta-t-il d'un ton mystérieux.

— OK.

Owen arqua ses sourcils blonds d'un air suspicieux en se rappelant leur surveillance de l'autre jour. Il regarda instinctivement le sac dc Rhys comme s'il s'attendait à voir un costume *seventies* amidonné ou une fausse moustache le regarder par la fermeture Éclair.

— Cette semaine, mes temps ont vraiment été nuls, commença Rhys en marquant une pause quand il vit Chadwick et Hugh sortir ensemble du vestiaire.

La moustache de Chadwick semblait avoir irrité le bouton d'acné qui sortait près de son nez et la barbe broussailleuse de Hugh le faisait ressembler à une version châtain du pêcheur figurant sur la boîte de bâtonnets de poisson surgelés.

Allez, qui ne craque pas pour un garçon en coupe-vent dégoûtant?

— Man, je vais devoir inverser la tendance, déclara Hugh en caressant sa barbe de façon obscène et en foudroyant Rhys du regard. Mec, si tu te fais pas de meuf, je le ferai à ta place. Sérieux.

Il écarquilla les yeux comme un fou furieux.

— Ça va arriver, man, répondit Rhys en hochant la tête d'un air confiant.

Owen sourit intérieurement. *Bravo mon gars*. Le pouvoir de la pensée positive.

— Enfin bref, poursuivit Rhys une fois que Hugh et Chadwick se furent éloignés, je crois que pour que le coach me prenne au sérieux en tant que capitaine, j'ai besoin de dégraisser un peu, murmura-t-il comme s'il transmettait une information top-secret.

Owen se demanda s'il parlait de l'un de ces régimes bizarres qu'Avery essayait toujours, comme celui où elle ne devait boire que de l'eau au poivre de Cayenne et du jus de citron pendant une semaine, mais était ensuite tellement affamée qu'elle se rendait à la Nantucket Bake Shop, achetait une *Boston cream pie*[1] et la dévorait tout entière.

— Ça te dirait de venir t'épiler avec moi ? demanda Rhys quand ils sortirent de la 92e Rue Y dans la chaleur poisseuse de fin d'après-midi. Je suis vraiment trop nul en ce moment et je crois que les poils me ralentissent vraiment, ajouta-t-il.

Owen s'arrêta net. Il savait que des mecs aimaient se raser avant de gros rassemblements à la fin de la saison, mais pendant la première semaine d'entraînement ? Et *s'épiler* ? Ça avait vraiment l'air douloureux.

— Cet endroit est censé être très bien. (Rhys sortit une brochure

---

1. Génoise garnie de crème pâtissière à la vanille et nappée d'un glaçage au chocolat. (*N.d.T.*)

froissée de sa besace et la donna à son copain.) Les résultats durent quatre semaines sans qu'aucun poil ne repousse, expliqua-t-il comme s'il citait le papier pourpre et rose dans la main d'Owen. C'est bien mieux que de se raser.

— Ou plutôt bien plus gay que de se raser ? rétorqua Owen.

Utiliser des produits fruités sous la douche était une chose, mais dépenser de l'argent pour un service qui s'apparentait plus à de la torture mettait Owen franchement mal à l'aise.

— Je te l'offrirai, l'implora Rhys.

Ce n'était pas comme s'il avait autre chose à faire cet après-midi et traîner avec Rhys l'empêcherait de craquer et de revoir Kat. Dieu que c'était dur d'être bon.

Et être méchant est tellement plus drôle.

Owen roula des yeux, mais se surprit à s'adoucir.

— Bien, très bien. Mais si tu te mets à t'épiler les sourcils ou à te faire des masques, je vais devoir organiser une intervention, dit-il en le gratifiant d'un sourire narquois.

Il jeta un œil au teint lisse de son ami et réalisa que Rhys devait justement se faire des masques.

— Mec, ce n'est pas d'entretien qu'il s'agit, mais de natation, protesta Rhys en prenant la pub des mains d'Owen et en la rangeant dans son sac quand ils descendirent Lexington vers le sud.

— Si tu le dis, acquiesça Owen avec bonhomie.

Il aperçut deux filles qui marchaient dans la rue en uniforme et polo blanc de Seaton Arms et donna un brusque coup de coude à Rhys.

— Super, opina Rhys en souriant.

Il n'avait même pas remarqué les filles qui s'étaient arrêtées en face et qui attendaient pour traverser.

Owen secoua la tête. Son pote était *irrécupérable*.

— Je nous ai pris des rendez-vous pour 15 h 30, on devrait peut-être héler un taxi.

Rhys descendit du trottoir et en arrêta un audacieusement. Il donna une adresse de Midtown. Owen se faufila à ses côtés et regarda ses bras d'un air songeur. Il n'avait jamais vraiment remarqué les poils sur ses bras jusqu'alors. Ils étaient blond blanc et plutôt inoffensifs.

— Nous y voilà, déclara Rhys en descendant du taxi et en donnant un billet de vingt dollars au chauffeur. Gardez la monnaie, marmonna-t-il quand ils passèrent les portes du J. Sisters Salon.

— Vous avez rendez-vous ? demanda une femme sévère d'une soixantaine d'années en les jaugeant du regard. Ses cheveux étaient tellement tirés en arrière qu'on aurait dit qu'ils allaient imploser.

— Oui, au nom de Sterling, annonça Rhys avec assurance.

Sans rien dire, la femme désigna une minuscule salle d'attente lilas et rose derrière elle.

Ils s'assirent sur un canapé de cuir rose clair et Owen feuilleta des magazines, jeta un œil à *W* en attendant que vienne le tour de Rhys. Le canapé était extrêmement confortable et Owen se sentit étonnamment détendu. Pas étonnant que les filles aiment aller au Spa. Ils passaient le même genre de musique relaxante et vaporeuse, genre Enya, que sa mère écoutait quand elle faisait du yoga, et l'air sentait bon : un mélange de lavande et de cannelle.

— Ricey ? demanda d'une voix entraînante une Brésilienne musclée en uniforme bleu en passant la tête dans l'entrebâillement.

Ses avant-bras étaient énormes, comme si elle pouvait soulever deux cents livres sans problème.

— Bonne chance, chéri ! cria Owen quand Rhys suivit l'esthéticienne dans l'une des salles d'épilation.

Il regarda ses mules Adidas et remarqua d'épais poils frisés sur son gros orteil. Il tira expérimentalement sur les plus longs et la douleur le surprit. Heureusement qu'il n'était là que pour le soutenir moralement.

— Tu as terminé?

Une grande brune aux cheveux coupés en un carré asymétrique qui effleurait son menton désigna le magazine dans la main d'Owen. Celui-ci leva les yeux et s'aperçut qu'ils étaient les deux seuls dans la salle d'attente. Elle se leva au-dessus de lui et les yeux d'Owen furent immédiatement attirés vers sa poitrine. Elle était jolie, avec ses bras de volleyeuse bronzés et ses clavicules gracieuses. Sans parler de seins vraiment géniaux.

— Bien sûr, dit-il en lui tendant son numéro de *W*.

— Merci.

La fille prit le magazine et s'assit à côté de lui, effleurant brièvement la jambe poilue d'Owen avec sa cheville bronzée. Celui-ci se recula, gêné.

— Tu viens souvent ici? demanda-t-elle en arquant un sourcil parfaitement épilé de façon suggestive.

L'un de ses yeux était noisette et l'autre bleu, mais cela lui donnait un air bizarre et mignon plus que flippant.

— Non, je suis venu avec mon pote Rhys. On est dans la même équipe de natation, expliqua Owen.

Elle serait plus mignonne si ses cheveux ne tombaient pas dans ses yeux, décida-t-il.

— Vraiment? fit-elle, un petit sourire effleurant ses lèvres corail. (Elle se dégagea les cheveux du visage comme si elle lisait dans ses pensées.) Ce qui veut dire?

— Les poils en trop peuvent te ralentir dans une course, commença Owen. Donc si tu veux aller plus vite, tu peux gagner pas mal de temps en dégraissant, fit-il, imitant l'explication de Rhys.

— Fascinant!

Le jeune homme ne savait pas si elle plaisantait ou pas. Il tâcha de s'imaginer en train de l'embrasser, sa bouche collée à ses lèvres corail, mais n'y arriva pas. Il entendit un *riiiiiiiiiip* dans l'autre pièce et comprit alors : il pourrait essayer de la caser avec Rhys. C'était parfait : ils pourraient aller se faire épiler ensemble.

Le couple qui se fait épiler ensemble reste ensemble.

Owen sourit et passa en mode charme.

— Ouais, c'est l'idée de Rhys. C'est un nageur extraordinaire. C'est le capitaine de notre équipe, annonça-t-il, tout fier.

— Capitaine, hein ? Quelle école ? Je vais à Darrow.

Elle mentionna la petite école hippie en briques rouges dans le village où les terminales et les maternelles suivaient des cours dans la même salle de classe. Edie avait déliré et souhaité les y inscrire jusqu'à ce qu'Avery trouve leurs débouchés universitaires merdiques sur le Net. Un seul élève avait intégré une fac de l'Ivy League[1] ces cinq dernières années.

La fille tendit la main et fourra ses jambes derrière elle sur le canapé violet.

— Je m'appelle Astra. Astra Hill.

— Owen Carlyle. Enchanté. Et ce n'est pas un sportif débile. Il est hyper intelligent. C'est genre le type le plus brillant que j'aie rencontré, poursuivit Owen dans le vide.

Il fut transporté de joie quand il discerna une étincelle d'intérêt dans les yeux dépareillés d'Astra.

— Depuis combien de temps le connais-tu ? demanda-t-elle.

Avec la musique douce en bruit de fond et leurs hanches qui se touchaient pratiquement sur le divan en velours cosy, il

1. Groupement des huit universités les plus prestigieuses de la côte Est des États-Unis, incluant Harvard, Princeton et Yale. *(N.d.T.)*

avait l'impression qu'ils avaient rendez-vous dans l'un de ces restaurants où les couples étaient installés côte à côte.

Owen réfléchit :

— Une semaine. (Il toucha timidement la barbe de plusieurs jours qu'il faisait pousser par solidarité avec Rhys.) Mais on dirait que ça fait bien plus longtemps.

— Ouh là, là, tu dois vraiment l'aimer, observa Astra, l'air quelque peu déçu. Les gens sont au courant ?

— Au courant de quoi ?

Owen était perdu.

— De vous deux ?

— J'imagine, répondit-il, confus, sans trop savoir ce qu'elle insinuait.

Derrière le comptoir, la réceptionniste feuilletait un magazine tout en écoutant subrepticement leur conversation.

— C'est super, lança Astra. Tu sais, j'ai toujours trouvé ces écoles de l'Upper East Side hyper snob et coincées, mais cela montre qu'il y a un réel espoir. Et si vous veniez tous les deux à notre groupe « Les Questions que l'on se pose quand on est homo » à Darrow. Nous recherchons tout le temps du monde pour partager leur expérience.

Elle l'encouragea d'un hochement de tête.

— Pardon ? fit Owen.

Le décolleté d'Astra qui s'échappait de sa robe bain de soleil jaune l'avait distrait.

Dans un but d'expérimentation uniquement.

— Je pensais juste que St. Jude's ne voudrait pas qu'un couple homo si fier dirige son équipe de natation. Mais je trouve ça super ! (On aurait dit qu'elle félicitait un enfant de trois ans qui venait de réaliser l'exploit d'enfiler ses chaussures au bon pied. Elle lui prit la main et la serra affectueusement.) J'aime à dire que je suis flexuelle, parce que je ne veux pas coller d'étiquette sur ma sexualité et peut-être limiter une expérience. Tu sais, j'admire vraiment votre courage…

Astra se tut, regarda le visage d'Owen d'un air inquisiteur.

— Oh… non… nous ne sommes pas gay! bafouilla ce dernier en sentant le bout de ses oreilles rougir sous ses cheveux blond blanc.

— Oh! fit Astra.

Elle s'affala sur le divan de velours et lâcha la main d'Owen.

— Mais… enfin… Rhys a des tonnes de qualités féminines.

Owen s'emmêlait les pinceaux. Il voulait dire que si Astra voulait un petit ami gay, Rhys était encore mieux qu'un petit ami gay parce que, euh, il ne l'était *pas*. Mais ça n'avait aucun sens s'il essayait de le formuler haut et fort.

— Que veux-tu dire? demanda Astra, d'un bloc.

— Je veux dire que c'est juste mon pote, répondit Owen en décidant de lâcher la vérité. Rhys sort tout juste d'une longue histoire d'amour, du coup il est un peu fragile.

— Ooooooh, c'est terrible, susurra Astra, sincère. Pourquoi ont-ils rompu?

— Oh, comme d'habitude. Ils avaient envie de choses différentes.

Owen tira sur le col de sa chemise blanche. Il eut brusquement l'impression qu'il faisait vingt degrés de plus. Il entendit un cri étouffé dans l'une des pièces du fond. Il espérait que Rhys allait bien.

— Es-tu célibataire? demanda-t-elle en arquant les sourcils d'un air suggestif.

— Pas du tout. Enfin, pas vraiment. Une de ces situations compliquées.

Il sentait le regard de la jeune fille le transpercer. *Ne baisse pas les yeux, Carlyle*, se dit-il en se forçant à ne pas penser au corps tout en rondeurs de Kat dans ses bras. Il devrait vanter Rhys pour que cette Astra oublie sa flexualité et réalise que son pote avait tout ce qu'elle désirait – en un seul paquet bien pratique !

En voilà un qui a une vocation dans les rencontres en ligne.

— Rhys pourrait avoir toutes les filles qu'il veut, mais c'est le type d'une seule femme, poursuivit Owen.

C'était tellement bizarre de promouvoir les qualités d'un autre. Il faisait vraiment homo.

— Ça me plaît. Un homme qui a un seul cœur, un seul amour.

Astra opina en signe d'assentiment.

Rhys sortit de la salle d'épilation, complètement pâle, la peau marbrée sous la barbe de quelques jours style Super Mario qui ressortait par rapport au reste de sa peau entièrement lisse des pieds à la tête.

— Il faut juste que je m'assoie. (Il s'affala dans le siège à côté d'Owen.) Et que je boive une bouteille de vodka à cent degrés.

Il fit un petit sourire, sans remarquer Astra.

— Votre ami est un gros bébé, fit l'esthéticienne d'un air dégoûté en désignant Rhys et en lui donnant un petit verre d'eau aux motifs de Dixie du réfrigérateur dans le coin. Mais regardez l'amélioration !

Elle souleva son polo Lacoste blanc pour révéler une peau rouge imberbe parfaite sur sa poitrine, puis le claqua, laissant une marque de main rouge douloureuse. Owen grimaça.

— Oh pauvre bébé, roucoula Astra. Veux-tu venir avec moi manger un yaourt glacé chez Pinkberry ? C'est important d'avoir une sensation positive après une sensation négative, tu sais ?

Rhys sourit à Owen qui lui adressa un signe du pouce discret.

— Ça me tente bien, à vrai dire, opina-t-il. Rhys Sterling, ajouta-t-il en tendant la main.

Astra s'empressa de la serrer.

Ils se mirent à parler et Owen sortit son iPhone. *Bientôt,* écrivit-il dans l'e-mail qu'il envoya à Kat. Un e-mail apparut immédiatement : *J'ai hâte!*

Owen sourit. L'épilation, c'était génial. Absolument pas douloureux du tout!

— À vous, fit la Brésilienne en montrant Owen du doigt et en lui faisant signe de la suivre dans la salle du fond couleur lilas.

Jusqu'à maintenant. *Rrrrrip!*

le problème des secrets et mensonges

Vendredi après-midi, Jack gravit les marches pour sortir du métro à Union Square. Elle se rendait à Peridance, où se déroulait un cours de barre niveau professionnel cet après-midi qui ne coûtait que dix-sept dollars le ticket ou seize dollars si l'on prenait un carnet de dix. Elle était résolue à rester en forme, même si pour cela il fallait prendre des cours bon marché en sous-sol dans de lugubres studios du centre-ville. Son téléphone sonna dans sa poche alors qu'elle traversait la 16e Rue.

— Allô ? répondit-elle d'un ton curieux.

Elle n'avait pas reconnu le numéro.

— Dick Cashman à l'appareil ! fit une voix tonitruante.

Jack n'avait pas parlé à J.P. de la journée. Il avait été morose et silencieux pendant presque tout le dîner hier soir, et la jeune fille avait compensé en laissant Dick remplir un peu trop souvent son verre de vin.

— Alors, les jeunes, tout est prêt pour demain soir. Le bar est opérationnel et une section spéciale de chambres est réservée rien que pour vous. Tu devrais être fin prête, Jacky ma belle !

— Oh c'est trop, roucoula Jack avec reconnaissance.

Trop n'est jamais assez.

— Pas de problème. J'adore donner un coup de main aux

jeunes femmes. Mais ne mettez pas le feu à l'immeuble, tout de même. L'assurance, tu sais.

Il raccrocha et Jack décida de traverser dans la direction opposée, de reprendre le métro pour les quartiers chic. Qui en avait quelque chose à faire de la danse classique ? Ce n'était pas comme si louper quelques jours de cours avait de l'importance. De plus, c'était le week-end et elle avait eu une semaine très difficile. Il y avait une adorable paire de bottes Manolo en daim gris chez Barneys et il lui restait encore un bon cadeau de son dernier anniversaire. Elle méritait bien de se faire plaisir.

Soulagée, elle se soucia à peine du trajet retour en métro. Ce serait bien plus sympa d'organiser une fête avec J.P., comme le véritable couple en vogue qu'ils formaient, et qu'ils formeraient toujours.

OU VS ETES LES GARCES ? demanda-t-elle dans un texto à Jiffy en sortant du métro, étourdie. Arriver dans l'Upper East Side depuis n'importe où en ville avait toujours rappelé à Jack le moment dans le *Magicien d'Oz* où tout se transformait en Technicolor. Dans l'Upper East Side, les trottoirs semblaient plus vifs, les immeubles plus brillants et tout bien mieux.

Parce que c'est le cas.

JACKSON HOLE, répondit Jiffy. C'était en l'occurrence le resto le plus dégueu de tout Carnegie Hill. Le temps se rafraîchit brusquement et Jack mit son cardigan noir Ralph Lauren sur ses épaules. Le printemps était son époque préférée de l'année. C'était la saison du renouveau, et sa vie retournait lentement sur les rails.

Elle arriva chez Jackson Hole sur la 2e Avenue et la 83e Rue, où Jiffy, Geneviève et Sarah Jane étaient agglutinées dans une alcôve dans un coin.

— C'est la fête demain soir, mesdames, annonça-t-elle, tout

sourires, en congédiant le serveur d'une quarantaine d'années sans rien commander.

Ce n'était pas le week-end où il fallait grossir.

— Où a-t-elle lieu déjà? demanda Geneviève.

Elle fit passer ses longs cheveux blonds sur son épaule. Sa blouse Calvin Klein blanche était presque boutonnée jusqu'au cou.

— Cashman Lofts, à Tribeca.

Jack les gratifia d'un sourire malicieux. En un sens, elle était reconnaissante à cette pauvre Avery Carlyle et à ses tentatives de devenir populaire. Elle était le coup de pied au cul dont Jack avait besoin pour arrêter de pleurer sur ses malheurs, pour se ressaisir et réaffirmer sa domination sur la scène sociale.

— Et je ne la fais pas chez moi parce que je ne veux pas que tu vomisses de la vodka-cranberries sur le lit de ma mère. (Jack regarda Geneviève en plissant ses yeux de chat verts.) Encore une fois, ajouta-t-elle, se rappelant que l'an dernier Geneviève était sortie avec un autre jeune acteur nul, une connaissance de son père, de passage en ville pour une lecture de pièce de théâtre expérimentale. Elle était complètement pétée et avait dégueulé partout sur le lit de la mère de Jack. C'était dégoûtant.

— Ça va, ce n'est pas comme si tu n'étais jamais bourrée, rétorqua Geneviève en mordant dans un gros beignet d'oignon.

La graisse sur l'assiette luisait sous le soleil de fin d'après-midi qui entrait à flots par les fenêtres. D'un seul coup, Jack eut une faim de loup. Elle prit deux beignets d'oignon et n'en fit qu'une bouchée, appréciant leur goût salé.

— Et si on passait d'abord à la soirée d'Avery? suggéra Jiffy en roulant une tomate cerise légèrement dégonflée autour d'une feuille de salade sans sauce et en la fourrant dans sa bouche.

Jiffy était perpétuellement au régime pour se débarrasser des deux kilos qui séparaient ses hanches de son jean 3.1. Phillip Lim.

— Bien sûr que non.

Jack sentit une vague d'embarras. Pourquoi parlaient-elles de cette fille ?

— Qui tenait vraiment à y aller ?

— Son frère est trop beau gosse, expliqua Jiffy en haussant les épaules.

— D'accord, alors tu y vas et tu sors avec son beau gosse de frère. Et tu nous fais un rapport détaillé.

Geneviève sortit une Marlboro rouge de son sac Hobo Longchamp et l'alluma. Elle regarda autour d'elle, défiant quiconque de venir la réprimander.

Puis Avery Carlyle entra, d'immenses sacs Dean & DeLuca se balançant au bout de ses bras minces. Elle était aussi insouciante que d'habitude. Jack plissa les yeux. Comment pouvait-elle logiquement être aussi calme alors que sa mort sociale était imminente ?

— Avery ! cria Jack d'un ton imposant.

Avery se retourna et ses yeux bleus s'ouvrirent en grand de confusion. Son visage rougit une seconde, elle serra la mâchoire et se dirigea vers leur table d'un bon pas.

— Jack.

Avery s'arma de courage et s'assit à leur table. N'importe qui penserait qu'elles étaient amies, l'incarnation parfaite du monde des écoles privées de New York City. Elle passa les quatre filles en revue, ravie quand Jiffy la gratifia au moins d'un demi-sourire. Peut-être *pourraient-elles* toutes être potes ? Elle lui rendit un sourire chaleureux. Toute cette situation nécessitait grâce et sang-froid, bien qu'elle sentît l'hostilité de Jack. Quel était son problème, au fait ? Ce n'était pas comme si Avery allait lui piquer son petit copain…

Parce que, vraiment, qui ferait cela ?

— Avery, fit Geneviève d'un ton trop doux. Ravie de te voir.

Avery se rappela brusquement un documentaire qu'elle avait vu sur les attaques de requins : ils entourent leur proie avant de la déchiqueter.

— Alors où vas-tu comme ça ? s'enquit Jack. Tu n'as pas quelqu'un à voler ou des travaux d'intérêt général à faire à Constance Billard ? Ah oui, feignit-elle de se souvenir, c'est ta sœur.

Avery lui adressa un sourire doux, gardant son calme.

— J'allais juste chercher deux trois choses pour ma fête demain. Je serais ravie que vous veniez toutes.

Elle regarda Jack droit dans les yeux. Elle sentait son cœur marteler sa poitrine, mais sa voix était posée. Grand-mère Avery aurait été fière de sa grâce sous la pression. Elle vit Jiffy opiner et sentit miroiter une promesse. Si elle pouvait avoir Jiffy, peut-être que les autres suivraient.

— Je sais qu'à Nantucket, tu étais Miss Reine du Crabe, quelque chose dans le genre, et ne t'inquiète pas, tu conserveras sûrement ce titre ici, commença Jack. (Geneviève et Jiffy gloussèrent. Avery rougit. En quatrième, elle avait été élue Miss Reine du Homard de Nantucket. Comment Jack avait-elle découvert cela ?) Et je sais que ta grand-mère était une bombe incontournable dans les années cinquante. Nous avons tous vu la rétrospective de costumes au Met il y a trois ans. Qu'est-ce que ça peut foutre ? Va écrire un livre d'art Rizzoli sur elle ou ce que tu veux, mais arrête d'essayer de lui ressembler.

Jack se leva, de sorte que les deux filles se trouvèrent face à face, yeux dans les yeux.

Avery bouillonnait de rage. Très bien, Jack pouvait se comporter en garce avec elle, mais se moquer de sa grand-mère défunte ? Elle sentit son œil se mettre à tressauter, signe d'avertissement que les larmes allaient ruisseler.

— La soirée est à 20 heures, voici les informations.

Elle distribua froidement les flyers qu'elle avait préparés avec Sydney dans le labo informatique de Constance Billard à l'heure du déjeuner. Elle devait reconnaître qu'ils étaient marrants, précurseurs et carrément professionnels – bien mieux que son gadget avec la tasse de thé.

— Samedi? (Jack feignit d'étudier le flyer pourpre et blanc.) Comme tu en as sans aucun doute entendu parler depuis, j'organise ma propre soirée ce soir-là, sinon je serais venue avec plaisir. Mais Sydney et toi vous amuserez bien ensemble, j'en suis sûre.

Pour fêter ça, Jack prit un beignet à l'oignon dans l'assiette de Geneviève et le mâcha bruyamment, faisant un clin d'œil à Avery avec un sourire ennuyé.

— Amuse-toi bien à ta fête, Jack, rétorqua Avery d'un ton calme, stupéfaite par son propre sang-froid. Si l'une de vous changeait d'avis, vous avez les infos. À plus.

Elle sortit d'un bon pas, ignorant les fous rires dans son dos. Elle parcourut un demi-pâté de maisons jusqu'à Park Avenue avant que les larmes ne se mettent à couler.

Elle s'adossa à un immeuble en grès pour recouvrer son sang-froid. Quand elle regarda vers le centre-ville, elle vit l'arc gracieux de l'immeuble Chrysler s'élever vers le ciel. Elle ferma les yeux bien fort, les larmes embuant sa vision de sorte que tous les immeubles irradiaient de lumière. Grand-mère Avery n'abandonnerait tout simplement pas. Elle se rendrait à la soirée de Jack Laurent, fabuleuse, posée, et volerait tous les hommes désirables à Jack et ses amies. Ou elle s'assurerait que la soirée n'ait jamais lieu.

Avery se rendit dans l'hôtel particulier vide d'un pas déterminé et alluma son ordinateur, se maudissant de ne pas avoir de BlackBerry. Les obligations à Nantucket pouvaient être planifiées dans un agenda, mais ici elle avait besoin de quelque chose d'immédiat. Elle se connecta à la page d'accueil de Constance Billard et chercha l'adresse de Jack Laurent dans l'annuaire, espérant à moitié que ce soit dans un trou paumé comme le Queens ou l'Upper West Side. Mais non, l'adresse disait 63e, entre la 5e et Madison – tout près de chez sa grand-mère.

Elle sortit comme une flèche et courut pratiquement jusque chez Jack. Elle sonna, colla son doigt manucuré de rose clair à la sonnette encore et encore. Enfin, une petite fille en diadème argent et tutu pourpre à volants sur une robe à motifs Oilili vint ouvrir. Ses cheveux blond clair étaient attachés en une natte nickel dans son dos.

— Jack est là ? demanda Avery d'un ton doux, espérant ne pas s'être trompée de maison.

— Qui est Jack ? demanda la petite fille, confuse.

Avery regarda fixement les cheveux blond clair de la petite fille et réalisa qu'elle ne ressemblait pas du tout à Jack. Elle sentit son visage s'empourprer de nouveau.

— Jacqueline Laurent ? demanda-t-elle, confuse. Ta maman est là ?

— Jack, c'est le prénom de la dame qui habite au grenier ? zézaya la fillette en mâchouillant le bout de sa natte filasse avec une dent de devant.

— Je ne crois pas... (Avery se tut.) *Le grenier ?*

Une grande femme sublime en pantalon gris taille haute Theory et chemise Ralph Lauren blanche impeccable vint à la porte. Sa peau sans défaut donnait l'impression qu'elle sortait d'une publicité pour Estée Lauder. Elle regarda Avery en plissant les yeux sous le soleil de fin d'après-midi.

— Je suis désolée, dit Avery de sa voix la plus sophistiquée. Je cherche Jacqueline Laurent. Elle m'a donné cette adresse.

— Nous venons d'emménager. Elle habite en haut maintenant, expliqua brièvement la femme.

Elle pinça ses lèvres collagénéisées et jaugea Avery de la tête aux pieds de manière méprisante avant de pousser un profond soupir théâtral.

— C'est une situation plutôt exceptionnelle dont je ne suis responsable en rien, je peux vous l'assurer. Satchel peut vous montrer où elle vit mais, à l'avenir, je rappellerai à Jacqueline et Vivienne d'informer correctement leurs invités de leur adresse, dit-elle sèchement.

— D'accord, acquiesça Avery, confuse.

Quelle autre adresse pouvaient-elles bien avoir ?

— Satchel, bébé, pourrais-tu faire monter cette gentille dame ? demanda la femme en se baissant au niveau de la petite fille et en articulant exagérément.

Satchel hocha la tête d'un air solennel comme si elle était habituée à ce que sa mère prononce tout comme une déclaration de presse.

Satchel tendit une toute petite main poisseuse à Avery et la conduisit dans l'appartement, passa devant une immense cuisine avec deux réfrigérateurs Sub-Zero, une salle à manger très décorée, un séjour meublé en Louis XIV, deux escaliers en acajou qui montaient en spirale vers le fond de la maison. L'hôtel particulier faisait bien plus ordonné que le nouvel appartement des Carlyle quand ils avaient emménagé. Ils avaient ouvert tous les cartons au hasard le premier jour quand personne n'avait pu mettre la main sur Rothko, et que Edie était convaincue que quelqu'un l'avait emballé par accident.

— Je viens d'entrer à la maternelle, annonça Satchel d'un ton important quand elles traversèrent des pièces toutes plus immenses les unes que les autres. C'est bien, mais c'est dur. Nous n'avons qu'une sieste et un goûter, mais j'ai dix-sept amis! reprit-elle d'un ton fier.

— Ouah, c'est beaucoup, fit Avery de sa voix « je ne parle pas aux petits enfants mais je vais essayer d'être enthousiaste ». Je n'ai pas autant d'amis que toi.

En avouant cela, Avery se sentit immédiatement nulle.

— Combien en as-tu? insista Satchel.

Avery se rappela la maternelle, quand tout était si simple. Ils n'étaient que douze dans sa classe, de fait Owen, Baby et elle avaient quasiment régné sur la scène sociale, en dépit de leurs goûters bio que leur mère leur préparait toujours. Quand tout était-il devenu si compliqué?

— J'ai vingt-cinq amis, répondit Avery en inventant un nombre.

Elle n'arrivait pas à croire qu'elle venait de mentir à une fillette de cinq ans. Heureusement Satchel ne l'écoutait même pas, trottinait devant elle et glissait dans ses chaussettes en dentelle rose.

— Voilà, annonça-t-elle d'un ton solennel en ouvrant une porte et en désignant un escalier de bois branlant. J'aurais peur d'habiter au grenier, ajouta-t-elle dans un murmure.

— Moi aussi, acquiesça Avery.

Elle contempla fixement la porte blanche quelconque qui devait clairement servir d'entrée aux domestiques. C'était là où habitait l'infâme Jack Laurent? Ses amies le savaient-elles? Si tout cela n'avait pas été aussi bizarre, Avery aurait ri.

— Je peux y aller maintenant? demanda Satchel.

Avery acquiesça en signe d'assentiment, prête à frapper à la porte.

— Tu veux être mon amie? demanda Satchel d'un ton sérieux avant de partir.

— Bien sûr, sourit Avery.

— Chouette! Je vais dire à maman que j'ai dix-huit amis!

hurla la fillette d'une voix perçante en se tenant prudemment à la rampe en descendant.

Avery se mit à frapper à la porte, au début lentement puis sans s'arrêter. Elle sonnait creux. Enfin, elle s'ouvrit sur Jack en pantalon de jogging Juicy rose et T-shirt Michael Stars blanc. Sa bouche s'ouvrit en grand quand elle vit Avery.

Elle voulut lui fermer la porte au nez, mais Avery la tint fermement ouverte. Le cœur de Jack fit un bruit sourd dans sa poitrine, mais elle tâcha de garder son sang-froid. *Parfait, parfait, parfait*, chanta-t-elle en elle-même et elle essaya de fixer Avery d'un regard de princesse glacial.

— Que fais-tu là ? demanda-t-elle d'un ton froid.

— Je voulais passer pour t'annoncer que j'avais annulé ma soirée, annonça très lentement Avery, dégoulinant de fausse gentillesse. Car c'est idiot que nous fassions une fête toutes les deux le même soir.

Elle tâcha de jeter un œil derrière Jack pour avoir une idée de l'aspect de l'appartement. Un couloir de bois dur éraflé flanqué d'étagères bleues laides menait dans une petite kitchenette peinte en jaune. Derrière, Avery distingua un séjour aux canapés bleus poussiéreux qui avaient l'air d'avoir été impliqués dans l'explosion d'une usine L.L. Bean. Un porte-parapluies Pottery Barn fissuré abritait un parapluie noir cassé près de l'entrée.

— OK, cracha Jack en retour. Je sais que tu veux être mon amie, mais honnêtement c'est un peu pathétique.

Elle leva nerveusement la voix malgré elle.

— Alors c'est ici que tu habites ? C'est sympa. Tu dois traîner tout le temps ici avec Geneviève et Jiffy.

Avery rendit sa voix guillerette parce que tout cela était vraiment trop bon. Avec son faible éclairage et ses plafonds inclinés, ce serait le cauchemar pour un agent immobilier d'aménager l'espace autrement qu'il l'était déjà.

Hum, en grenier?

— Ce ne sont pas tes affaires, répondit Jack d'un ton hautain. Mais ma mère et moi sommes actuellement en train de rénover. Nous voulons nous assurer que tout est correctement géré, voilà pourquoi nous séjournons ici plutôt qu'à l'hôtel; c'est *temporaire*. (Jack insista sur ce mot, espérant que ce fût la vérité. Elle vit qu'Avery n'avait pas l'air convaincu.) L'un des ouvriers a dû te faire entrer.

— Une petite fille m'a fait entrer. Elle m'a dit qu'elle habitait ici, répondit lentement Avery en voulant acculer Jack et la forcer à avouer son mensonge.

— J'imagine qu'elle fait semblant d'être quelqu'un qu'elle n'est pas. Comme certaines que je connais.

Jack refusa d'ouvrir davantage la porte. Toutes deux se tenaient précairement sur la dernière marche. Avery sentit une écharde de la rampe d'escalier inachevée essayer de se frayer un chemin dans son petit doigt.

— C'est drôle, parce que j'ai aussi discuté avec sa mère…

Avery se tut peu à peu d'un air important.

Jack entrouvrit la porte et s'adossa au châssis en bois : elle n'arrivait pas à croire que cela lui arrivait. Avery savait tout, et à moins qu'elle ne veuille qu'elle ouvre sa bouche prétentieuse et raconte tout à tout Constance, elle devrait céder du terrain. Un petit peu.

Comme les sols cèdent?

Jack soupira.

— Je discutais justement avec mon petit ami et nous nous sommes dit que ce serait bien plus pratique si nous faisions notre fête en octobre, renifla Jack. Donc si tu veux encore faire ton truc demain, vas-y.

Avery hocha évasivement la tête bien que son cœur entamât déjà une danse de victoire dans sa poitrine.

— Je dirai à mes amis de venir, poursuivit Jack. Ça te va ?

— Ça me va, acquiesça Avery, en ayant bien du mal à ne pas sourire.

Elle se demanda si elles allaient s'étreindre et se rabibocher.

Kiss, kiss, *kiss* !

— On se voit demain ?

Jack plissa les yeux, espérant que ça avait plus l'air d'une menace que d'une affirmation. La dernière chose dont elle avait besoin était qu'Avery Carlyle croie brusquement qu'elles étaient amies. Déjà, une idée commençait à se former dans sa tête. Avery pourrait faire sa petite soirée d'amateur. Peut-être que tout le monde viendrait et que tout dégénérerait. Ils mettraient à sac l'hôtel particulier *spectaculaire* de la vieille Dame Avery !

— Bien sûr, dit Avery en lui faisant un sourire radieux. (Elle pourrait *enfin* tirer des plans sur la comète !) À demain ! roucoula-t-elle en descendant l'escalier en trottant et en sortant par l'entrée latérale.

Avery respira un bon coup quand elle sortit sur Madison Avenue, laissa la brise d'automne piquante fouetter ses épais cheveux blonds. Elle ne pouvait s'empêcher de sourire. Grand-mère serait si fière. D'ici la semaine prochaine, elle serait la nouvelle célébrité de New York. Exactement ce qu'elle avait toujours souhaité !

Vous savez ce que l'on dit : attention à ne pas souhaiter n'importe quoi…

on n'est bien que chez soi

Vendredi soir, Baby descendit du ferry et huma l'air salé, le vent ébouriffant ses cheveux châtains ondulés quand elle remonta le dock. Elle ôta son uniforme de Constance Billard qui la grattait et le jeta dans l'océan, où il dansa quelques instants sur l'eau avant de sombrer, hors de vue.

Baby se campa près du poste de péage qui menait à la file d'attente du ferry et attendit qu'on lui demande où elle allait. Sur l'île, tout le monde faisait du stop et elle se sentait bien plus chez elle à héler une voiture au hasard qu'un taxi new-yorkais. Deux minutes plus tard, un pick-up Dodge rouge rouillé avec un phare manquant s'arrêta et un type mignon d'une vingtaine d'années ouvrit la portière sans rien dire et lui fit signe de monter. Voilà ce qu'elle adorait à Nantucket : c'était une véritable communauté et quand on avait besoin de quelque chose, les gens rendaient service.

— On arrive de Boston, hein ? demanda le type quand elle ferma la lourde portière du camion.

Il portait un T-shirt gris délavé UMass et sa peau était rose rougeâtre à cause du soleil. On aurait dit un homard.

Attention aux pinces !

— Pas vraiment, répondit Baby en baissant les yeux et en

réalisant qu'elle devait vraiment avoir l'air absurde avec sa jupe d'uniforme.

— D'accord, alors où tu vas?

Son téléphone bipa et elle le regarda, embarrassée. J.P. Il avait appelé trois fois depuis qu'elle était dans le bus. Il ne pouvait pas trouver quelqu'un d'autre pour promener ses chiens? Ou peut-être que sa petite amie pourrait le faire à sa place? Non, pour cela il faudrait qu'elle troque son costume de pétasse cinq minutes et c'était impossible. Elle prit le téléphone et répondit, ennuyée.

— Salut, j'en ai fini avec l'expérience new-yorkaise, commença-t-elle sans attendre qu'il parle. Je suis rentrée à Nantucket, tu devrais peut-être trouver quelqu'un d'autre pour promener tes chiens, quelqu'un qui pourrait te faire des tarifs meilleur marché.

Elle raccrocha avant qu'il n'ait pu dire quoi que ce soit. À quoi bon?

— Un ex? demanda le chauffeur.

— Absolument pas, répondit Baby en jetant le téléphone dans son sac Jansport vert délavé, pour ne plus y penser. Elle contempla par la vitre les fermes tentaculaires et les maisons coloniales soignées de Nouvelle-Angleterre dans des teintes voilées de blanc et de gris. Chez elle. Elle était enfin rentrée chez elle.

— Je crois que je vais descendre par là, alors merci de m'avoir déposée! babilla Baby quand elle tourna à un carrefour familier.

Le chauffeur se gara et elle descendit du camion d'un bond dans l'une des petites rues près de chez Tom. Elle conduisait directement à la plage et elle dévala les marches de bois inégales qui menaient sur le sable, sa besace cognant son dos. Elle voyait déjà le feu de camp près de l'eau et s'arrêta une seconde en avisant toutes ses camarades de classe de NHS tituber nues dans divers états d'ébriété.

Baby se rendit à la plage et reconnut Lucas Anderson, l'un

des amis de Tom, avant d'entendre le demi-grognement, demi-petit rire étouffé familier de Tom qui faisait le même bruit qu'un cochon d'Inde que l'on étouffait. Il ne produisait ce bruit que quand il était extrêmement défoncé. Tom et Lucas étaient assis sur un morceau de bois flottant humide, sans se rendre apparemment compte que la marée était montée jusqu'à leurs chevilles. Lucas portait des Birkenstock sur d'épaisses chaussettes avoine et rejouait inlassablement les mêmes quatre accords de « Free Falling ». Une pipe à eau de près d'un mètre de long, construite avec des bouteilles de soda en plastique, trônait entre eux deux comme un vieil ami.

C'est le moment de retrouver la civilisation en courant, pas en marchant!

Baby s'approcha tranquillement d'eux, enjamba le morceau de bois flottant et frissonna dans ses sous-vêtements quand elle s'assit à côté de Tom.

— Baby?

Tom cilla plusieurs fois en tâchant de déterminer si elle était bien réelle ou si ce n'était qu'une illusion de défoncé.

— Je suis là, déclara simplement la jeune fille.

Elle s'abandonna dans ses bras et laissa ses doigts la chatouiller doucement. Il prit son visage et guida sa bouche vers la sienne. Il sentait Tide, l'océan et un peu le shit. Ses pupilles étaient immenses, mais cela n'embêta pas Baby. Elle planait elle aussi, rien que parce qu'elle était à ses côtés. C'était si bon de se retrouver enfin au seul endroit où elle désirait être.

— J'arrive pas à croire que tu sois là! dit Tom, incrédule, avec sa voix de défoncé.

Lucas se contentait de les regarder fixement, bouche bée.

— Allons nous balader, suggéra-t-elle en tirant presque Tom de la bûche.

Le ciel était noir de jais, mais la lune dessinait un chemin de lumière à travers l'eau noire comme de l'encre. Baby prit la main de Tom dans la sienne, un frisson d'excitation parcourant tout son corps.

— Alors tu es venue pour le week-end? lui demanda Tom en sortant un joint de sa poche et en l'allumant.

— Pour le week-end et plus si affinités! répondit Baby en lui souriant et en balançant étourdiment son bras avec le sien.

— OK, dit lentement Tom. (Il s'arrêta et passa les doigts dans ses cheveux emmêlés.) Et où vas-tu séjourner? demanda-t-il entre deux baisers.

— Dans le cottage d'invités, répondit Baby comme si cela tombait sous le sens.

Tom et elle vivraient ensemble, seraient heureux et auraient beaucoup d'enfants.

Les contes de fées, n'est-ce pas merveilleux?

— Et l'école?

— Ça ne fait qu'une semaine, je suis sûre que je pourrai rattraper les cours, dit Baby d'un ton taquin, bien qu'elle fût plus ou moins ennuyée.

Pourquoi ne pouvait-il simplement pas profiter de sa présence?

— D'accord, répéta Tom. Que veux-tu faire?

Avait-elle besoin de lui faire un dessin? Elle serra affectueusement sa main quand ils coururent vers le petit cottage rongé par les intempéries, où Tom vivait avec son frère, et gravirent les marches branlantes jusqu'à la chambre du garçon. Il mit Al Green sur son iPod et Baby enveloppa ses bras minces autour de lui, se disant que rien au monde ne pouvait être plus parfait.

Let's get in on... ooh Baby... let's get in on...

— Salut, lança Baby en l'attirant contre elle.

— Salut, répéta Tom en fourrant son nez dans ses cheveux.

Le cœur de Baby fit un bond quand il la poussa sur le lit.

Ses bras étaient chauds et virils autour d'elle, et elle crut qu'elle allait exploser de joie. Elle était chez elle, avec Tom, après ce qui lui avait paru une éternité loin de tout ce qu'elle connaissait et aimait.

— Je t'aime, dit-elle simplement parce qu'il n'y avait rien d'autre à dire.

— Moi non plus.

Tom fourra son nez dans son cou, endormi. Il émit des glousse- ments, qui se transformèrent en grognements de cochon d'Inde ennuyeux.

Baby soupira. Peut-être s'était-il autant défoncé avec Lucas parce qu'elle lui manquait énormément et il devait bien noyer son chagrin quelque part?

Ou peut-être n'était-ce qu'un fumeur de shit qui entretenait une relation très particulière avec sa pipe à eau.

Ils s'allongèrent sur le lit et elle tira la couverture sur eux. Tom sombra immédiatement dans l'oreiller, yeux fermés.

— Tu veux faire la sieste? demanda Baby, bien que la respira- tion de son ami se fût déjà calmée en ronflements bruyants. Elle soupira de nouveau et se blottit contre son dos, écoutant le doux clapotement des vagues au loin.

Le lendemain matin, Baby se réveilla au bruit de son téléphone qui sonnait.

— Ugh, murmura-t-elle, endormie, en voyant s'afficher le nom de sa sœur.

Elle fit taire le téléphone et s'assit dans le lit en passant la chambre de Tom en revue. Pourquoi celui-ci n'était-il pas avec elle? Elle enfila son sweat-shirt à la va-vite et descendit l'escalier sur la pointe des pieds. Le sweat-shirt était chaud et doux et sentait Tom.

Elle regarda par la fenêtre et le repéra debout près de la XTerra blanche pourrie de Kendra. Celle-ci était dans ses bras, et la main droite du garçon, avec l'épaisse bague en argent que Baby lui avait offerte, enlaçait la hanche de Kendra. Baby sentit une peur glaciale la parcourir. Tom parlait sérieusement à Kendra et un éclair de colère traversa le visage de celle-ci. Baby ouvrit légèrement la bouche. Les gonds rouillés grincèrent.

« Elle est revenue », entendit-elle Tom dire, sur la défensive. Baby s'assit sur les marches de béton et serra ses genoux contre sa poitrine. Elle avait des frissons alors qu'il faisait bon dehors.

— Quoi ? Pour le week-end ?

On aurait dit que Kendra venait d'être tirée d'une torpeur de défoncée dans laquelle elle se trouvait depuis deux ans. Sa voix était aiguë, claire et extrêmement en colère. Baby crut qu'elle ne pourrait plus respirer.

— Je ne sais pas pour combien de temps. Mais je l'aime.

La voix de Tom résonna dans l'air matinal. Mais même ces trois mots ne suffirent pas à réchauffer Baby.

— Et nous ? demanda Kendra, accusatrice.

Nous ? Aux dernières nouvelles, Baby savait que Kendra couchait avec un étudiant qui avait abandonné ses études et travaillait comme cuisinier dans une cabane qui vendait des crabes.

— Tu es mon amie, mais Baby est ma nana, insista-t-il. (Baby vit son bras encercler la petite hanche de Kendra comme s'il allait l'attirer dans un baiser.) Laisse-moi le temps de régler tout ça, l'implora-t-il.

Sur quoi Baby se leva. En trébuchant elle rentra dans le cottage comme un ouragan et claqua la porte.

« Merde ! » entendit-elle Tom crier.

— Baby! (James, le grand frère de Tom, se tenait près de l'évier, les yeux troubles, quand elle rentra à toute vitesse.) Tu es revenue !

Baby grimaça. La pièce était dégoûtante ; des vêtements étaient empilés, intacts, et une tranche de pizza à moitié mangée traînait sur le plan de travail.

Tom surgit sur le pas de la porte, à bout de souffle.

— Oh, *man*, vous deux allez devoir avoir une explication, observa James en ouvrant le frigo.

Il en sortit un *gallon*[1] de Tropicana et but à même le carton. Puis il s'assit à table et leva des yeux impatients sur eux.

— Qu'est-ce que c'était que ce bordel ? demanda Baby d'un ton neutre sans quitter Tom des yeux.

— Rien, répondit celui-ci en implorant son frère du regard. C'était juste… Kendra. Baby… Baby, écoute-moi. (Il lui prit le poignet et Baby se dégagea de son étreinte, sentant sa bague débile contre sa peau. Elle ne voulait pas qu'il la touche.) Il ne s'est rien passé, murmura Tom d'un ton pressant.

— Mais bien sûr, cracha Baby. Comment as-tu pu me faire ça ? demanda-t-elle sans ambages.

Ce genre de trucs arrivait à New York à des personnes comme Jack Laurent et J.P. Pas à elle. Et pas à Nantucket.

Tom se mordit la lèvre inférieure, mais ne dit rien.

— Je m'en vais, annonça enfin Baby en se détachant de son étreinte.

— Tu vois, tu t'en vas tout le temps, lança Tom d'un ton accusateur. Je me sentais seul, d'accord ? Tu me manquais et Kendra était là. Si tu n'étais pas partie, cela ne serait jamais arrivé, conclut-il.

1. Un gallon US = 3,785 litres. (*N.d.T.*)

Elle le foudroya une dernière fois du regard et s'en alla comme un ouragan. La porte du fond claqua derrière elle.

Baby courut en direction de la plage et se jeta dans l'océan, où ses larmes se mélangèrent à l'eau salée. Au moins elle n'était pas à Manhattan. Elle était chez elle.

Et on est vraiment (pas) bien que chez soi.

Avertissement : tous les noms de lieux, personnes et événements ont été modifiés ou abrégés afin de protéger les innocents. En l'occurrence, moi.

Salut à tous !

FLASH INFO : Mes sources me disent que la fiesta tant attendue de **J** a été brusquement et inexplicablement *annulée*. **J** encourage tout le monde et personne à se rendre à la fiesta d'**A** à la place. S'agit-il d'une toute nouvelle alliance ? Ou se passe-t-il quelque chose de plus bizarre ?

ON A VU :

J et **A** signer pour une grosse livraison à l'hôtel particulier de la grand-mère d'**A** de cette boutique de spiritueux sur la Seconde. Avec l'immobilier d'**A** et les connections de **J**, ce pourrait être une alliance de rêve pour une soirée de rêve. **R,** remonter la 5ᵉ Avenue, main dans la main avec une mystérieuse inconnue. Dommage que **K** ait participé au tournoi de tennis de Seaton Arms et n'ait pas pu le voir. **O,** passer devant un épicier portoricain sur Madison et s'arrêter pour sentir les… pommes ? Quelqu'un est-il fétichiste pour les fruits ? **A,** embaucher des décorateurs pour ajouter des centaines de lumières dans le solarium de sa grand-mère. Je ne crois pas que les décorations importent quand la moitié des invités sont sûrs d'être complètement bourrés. Et **B,** nulle part. Personne ?

Parce que les chiens de **J.P. –** et **J.P. –** se promènent la queue entre les pattes.

VOS E-MAILS :

Q: Chère GG,
Je vis à Nantucket et quand je courais sur la plage ce matin, j'ai trouvé un blazer de Constance Billard rejeté sur le rivage. N'est-ce pas une école privée de filles à New York City ? Que s'est-il passé ?
— Nantucket Nectar
P.S. : si jamais tu viens à Nantucket, mon pick-up a des sièges complètement inclinables, si tu vois ce que je veux dire…

R: Cher NN,
Hmmm, je n'ai pas du tout entendu parler de tragédies dans l'Upper East Side, mais je ne couvre que *cette* île. L'une des nôtres aurait-elle décidé d'y mettre un terme ? Je pense à une certaine beauté bohème de très mauvaise humeur depuis son arrivée… Quant à la visite, merci, mais il faut plus que la promesse de sièges complètement inclinables pour me faire quitter Manhattan.
— GG

Q: Chère GG,
Je sais qui tu es. Tu dois être, genre, une prof de Constance qui bosse sur un roman de confessions intimes croustillant pour embarrasser tout le monde. Pas vrai ?
— Novel Girl

R : Chère N G,

A) je suis bien trop intéressante et tendance pour être une prof, et B) si j'avais voulu écrire un roman, tu ne crois pas que je l'aurais déjà fait ?

— GG

Après un été de soirées ennuyeuses pour fêter notre entrée à la fac où tout le monde faisait semblant d'être les meilleures amies du monde, bien que tout le monde se détestât, ça me démange de recommencer les soirées pour fêter le début de l'année scolaire, où les garçons de Riverside Prep peuvent frayer avec les filles de Seaton Arms ; les filles de Constance B, sortir avec des garçons de St. Jude's et les filles de l'école, baisouiller entre elles, et où des tas de drames vont forcément se nouer. C'est la première soirée de l'année et, quant à moi, j'ai hâte d'être le témoin d'un comportement scandaleux. *Et vous** ?

Vous m'adorez, ne dites pas le contraire

tout vient à point à qui sait attendre

De : Owen.Carlyle@StJudes.edu
À : Kelset.Talmadge@SeatonArms.edu
Date : vendredi 12 septembre, 15 h 00
Objet : Re : Maintenant ?

Kat,
Viens à la soirée de ma sœur. Impatient de te
voir…
Affectueusement,
O

faire la fête comme une rock star

— On l'a fait! s'écria Avery d'une voix perçante en se jetant au cou d'Owen dans une étreinte de frangine bourrée.

Owen ébouriffa ses cheveux blond blé et la gratifia d'un grand sourire ivre.

— Ouais, on l'a fait, acquiesça-t-il. (Il passa les invités en revue, à la recherche de quelqu'un.) Je vais prendre une autre bière. Tu veux quelque chose?

— Ça va, répondit Avery en agitant la main.

Elle avait déjà bu quatre verres et tout baignait dans un joyeux brouillard doré. Elle ne parvenait pas à croire que la soirée se passe si bien. Le solarium de grand-mère Avery était un flamboiement de lumières qui clignotaient et qui se reflétaient sur le sol de marbre. La petite piscine clôturée de verre était remplie de filles de l'école en bikini, la cuisine, de garçons de St. Jude's et de Riverside Prep qui faisaient des *shots* et la salle à manger, de filles de Constance Billard qui mataient les mecs de St. Jude's. Avery ne connaissait pas encore tous les noms, mais elle ne pouvait être plus heureuse.

Owen ébouriffa une dernière fois ses cheveux blonds et disparut dans la masse frénétique de corps.

— Salut ! dit Jack Laurent en se faufilant à côté d'Avery, comme surgie de nulle part.

Elle portait une robe Proenza Schouler bleu roi ajustée et des compensées Miu Miu très hautes qui lui donnaient cinq bons centimètres de plus qu'Avery. Elle tenait la main d'un garçon très mignon à l'air aristo.

— Super soirée, Avery !

Jack se pencha pour déposer un baiser sur la joue de la jeune fille.

Miaou, miaou !

— J.P. Cashman, annonça le garçon en tendant la main. (Avery la serra en battant des cils.) Je connais ta sœur. Elle promenait les chiens de ma famille. Vient-elle ce soir ? demanda-t-il d'un ton convivial.

Jack lui lança un regard meurtrier.

Avery opina en constatant alors que J.P. était très beau. Pourquoi Baby n'en avait-elle jamais parlé ? Mais bon, Baby craquait toujours pour des fumeurs de shit comme Tom, pas pour de beaux gosses futurs milliardaires de l'Upper East Side. Elle ne l'avait probablement même pas remarqué.

— Je t'ai apporté un autre verre. (Jack tendit un grand verre de gin-citron vert à Avery qui le prit avec reconnaissance.) Je me suis dit que tu en aurais peut-être besoin. C'est si difficile d'être hôtesse *et* de s'occuper de soi en même temps ; surtout quand la soirée est si géniale.

Avery se fendit d'un grand sourire, trop pompette pour déceler la note de sarcasme dans la voix de Jack. Cette dernière avait tenu parole et des dizaines de jeunes qu'Avery n'avait même jamais rencontrés s'entassaient dans le solarium. Les traiteurs qu'Avery avait absolument tenu à embaucher chez Masa étaient repartis depuis longtemps, et le canapé blanc de grand-mère Avery était jonché de rouleaux californiens à moitié mangés et de couples à moitié nus. Elle lissa un pli sur sa robe d'hôtesse de satin noir Marc par Marc Jacobs, se sentant tout à fait hôtesse.

— Merci beaucoup d'être venue!

Avery attira spontanément Jack dans une étreinte. Peut-être étaient-ce les millions de minuscules lumières installées dans toute la pièce, mais Jack paraissait différente ce soir. Même ses tâches de rousseur n'étaient pas aussi irritantes que d'habitude. Elle serra affectueusement le bras de Jack en finissant soigneusement son vin puis but une gorgée du cocktail que la jeune fille lui avait préparé.

Grand-mère Avery ne l'avait-elle pas mise en garde contre les mélanges?

— Bien sûr! J'espère que tu feras des tas d'autres soirées à l'avenir! Je serais ravie de te donner un coup de main! Et ça fait un moment que je voulais te le dire, mais bonne chance pour l'élection demain, ajouta Jack en lui adressant un sourire chaleureux avant d'entraîner J.P. par la main.

— Comment ça se fait que tu ne portes pas ta nouvelle robe? demanda celui-ci en passant la salle bondée en revue.

J.P. avait tenu parole et lui avait offert une robe de princesse rose, exactement comme celle qu'elle avait décrite. Mais elle était recouverte de frous-frous ridicules, avec des couches de taffetas rose chewing-gum, et elle aurait eu l'air d'un petit-four géant dedans.

— Quoi, ce que je porte ne te plaît pas? rétorqua Jack en esquivant la question et en montrant sa robe pull moulante.

J.P. se gardait bien de dire qu'elle n'était pas belle, c'était donc discutable.

— Non, tu es super, concéda-t-il, mais pourquoi au fait as-tu annulé la soirée loft? la pressa-t-il. (Ses yeux noisette passaient la foule en revue comme s'il cherchait quelqu'un.) C'est vrai, quoi, c'était bien toi qui voulais organiser une petite soirée. Mon père avait tout préparé. Il a été déçu.

Jack haussa les épaules. Et s'il lâchait tout simplement l'affaire ? Et était-il obligé d'être aussi désapprobateur ?

— J'ai changé d'avis, dit-elle d'un ton léger et elle leva son visage pour l'embrasser.

Elle aurait bien voulu lui dire qu'elle n'avait pas d'autre choix. Avery Carlyle tenait son univers social dans la paume de sa main et, à moins que Jack ne l'en empêche, toute sa vie serait gâchée.

Jack monta la stéréo et Kanye fit un boucan d'enfer dans toute la maison.

— Voilà qui est mieux.

Elle baissa les lumières, plongea la pièce dans des ombres enténébrées sexy qui se projetaient sur les fenêtres qui allaient du sol au plafond.

Elle allait se rendre dans la cuisine pour servir un *shot* à Avery, mais J.P. lui attrapa le bras.

— C'est vraiment bruyant par ici, tu ne veux pas aller prendre l'air dehors ? cria-t-il par-dessus la musique assourdissante.

— Je veux d'abord boire un verre ! cria-t-elle en retour en se dégageant de son bras et en continuant en direction de la cuisine.

— Très bien, moi je me casse, répondit-il sèchement. Amusetoi bien.

Il fendit rapidement la foule dense et sortit.

On se demande où il est si pressé d'aller…

Jack roula des yeux. Très bien. J.P. pouvait être nul parfois. Sa mission était de donner à Avery Carlyle exactement ce qu'elle méritait. À commencer par un autre verre de quelque chose qui ne faisait pas bon ménage avec du vin ou du gin.

De l'autre côté de la pièce, Owen regardait Avery descendre son gin-citron vert, un *shot* dans l'autre main. Il allait lui suggérer de ralentir quand il remarqua Rhys dans un coin, assis sur un fauteuil ancien avec la fille de l'institut de beauté perchée sur ses genoux. On aurait dit qu'ils allaient se faire des câlins d'une minute à l'autre. Owen ne parvenait pas à croire que son plan se passe si bien. Il fit un signe de tête discret à Rhys en signe d'approbation.

— Qui est-ce ? demanda Avery en suivant son regard. Ce couple est en train de baiser sur le fauteuil de grand-mère ?

Avery partit en trombe, son verre se renversant par terre. Owen était en train de se moquer de sa sœur coincée mais bourrée quand il sentit une tape sur son épaule.

L'odeur de pomme emplit l'air.

— Salut, murmura Kat, ses yeux bleus entamant une danse malicieuse.

Elle portait la même robe dos-nu noire moulante que le soir de leur rencontre. L'avait-elle délibérément choisie ?

Porter la même tenue à deux soirées ? J'ose espérer que non !

Owen jeta un coup d'œil nerveux à Rhys. Il frissonna, traversé par un mélange d'adrénaline et de peur.

— Il a l'air d'aller mieux, observa Kat en désignant discrètement Rhys et Astra. Owen opina.

Kat acquiesça, songeuse, et lui adressa un sourire si sexy qu'Owen cessa de se faire du souci pour Rhys. Puis elle se mordit la lèvre.

— Crois-tu que je devrais aller lui dire bonjour ? demanda-t-elle en cherchant l'approbation d'Owen des yeux.

— J'imagine.

Le jeune homme sentit son cœur marteler sa poitrine.

— Et je te retrouverai peut-être plus tard? lui murmura-t-elle à l'oreille.

Il sentit son souffle chaud dans son cou. Il hocha la tête sans rien dire puis attendit, incapable de respirer, quand elle s'éloigna de lui et se dirigea vers Rhys d'un bon pas.

— Je croyais que ce nageur et cette nana de Seaton Arms avaient rompu, murmura Jiffy à une Geneviève célibataire de chez célibataire alors que toutes deux observaient Kat entrer dans la ligne de mire de Rhys.

Jiffy portait un jean cigarette Citizens noir et une robe bulle Diane von Furstenberg noire qui ressemblait plus à une tente Lands' End. Geneviève haussa les épaules et se servit une bonne rasade de vodka dans son grand verre en cristal.

— Salut Rhys!

Ce dernier leva la tête et écarquilla les yeux de surprise. Elle était sublime dans sa robe noire moulante qui dévoilait ses épaules athlétiques et ses jambes minces. Il fit pratiquement tomber Astra de ses genoux. Elle était bien sympa et tout et tout, mais il s'était juste intéressé à elle pour rendre Kelsey jalouse. Ce qui, visiblement, avait marché.

— Salut, dit Rhys, tout sourires, en se levant face à elle.

— Kelsey, dit-elle en tendant la main à Astra.

— Astra.

Elle se leva et lui rendit poliment son sourire, ôtant les plis sur sa tunique Tory Burch.

— Je voulais juste te dire que tu avais beaucoup de chance d'avoir rencontré Rhys. Il est génial, confia Kelsey à Astra comme si Rhys ne se trouvait pas dans la pièce ou n'était pas son ex depuis quelques jours seulement.

Le sourire de Rhys s'évanouit. Quelque chose n'allait pas. Normalement, elle devrait péter un plomb, pleurer et s'enfuir en courant, et il s'excuserait alors auprès d'Astra, courrait après Kelsey et ils passeraient le reste de la soirée au lit, à se murmurer des « Je t'aime » et « Je suis désolé(e) ». Le matin, ils mangeraient des scones au citron et riraient de leur « rupture » si idiote et par trop théâtrale, ravis d'avoir une histoire drôle à raconter à leurs enfants un jour.

Et dans quel monde, à part un film de Hilary Duff, cela se passe-t-il encore ?

Astra sourit en essayant d'attraper le bras de Rhys et de l'attirer vers elle. Il recula d'un pas, les yeux rivés sur le visage de Kelsey.

— Alors comment vous êtes-vous rencontrés tous les deux ? demanda Kelsey de sa voix lente et mélodieuse.

Cela semblait sincèrement l'intéresser. Puis il comprit : Kelsey l'avait complètement oublié et se moquait bien qu'il baise avec Astrid ou Astro ou quel que fût son foutu prénom.

Rhys eut l'impression de sombrer sous l'eau quand il s'éloigna des deux filles sans rien dire. Il devait prendre l'air. En sortant, il attrapa une bouteille de vodka-citron et faillit rentrer dans Owen qui se tenait, impassible, sur le seuil de la porte.

— Hé, ça va *man* ? demanda-t-il, inquiet.

Il s'était délibérément éloigné pour ne pas entendre la conversation entre Rhys et Kat, mais à l'expression hagarde sur le visage de son pote, il comprit que ça ne s'était pas bien passé.

— Non, fit Rhys d'une voix entrecoupée de sanglots.

La pièce était trop bondée et il faisait trop chaud. Il avait l'impression qu'il allait exploser s'il restait là. Sans vraiment savoir quoi faire d'autre, il sauta dans la piscine, éclaboussant tout le monde. Il se mit debout dans l'eau, la bouteille de vodka-citron toujours à la main, sa chemise et son jean complètement trempés.

— Hé! fit Avery d'une voix tonitruante en se balançant sur ses Louboutin.

Jack lui prit le bras et l'accompagna vers Geneviève, Jiffy et du gin-citron vert.

— On dirait que tu as besoin d'un autre verre!

— Ça va? demanda Owen en se penchant au-dessus de la piscine.

Un groupe de filles à moitié nues de l'école regardait, feignant de s'intéresser aux motifs que dessinait la cendre de leurs Gauloises quand elles la faisaient tomber dans l'eau.

— Non, bafouilla Rhys. (Il se mit debout dans l'eau d'un mètre de profondeur et dégagea ses cheveux foncés de ses yeux. Des larmes se mélangèrent au chlore sur son visage.) Kelsey… elle… elle va *bien*, bafouilla-t-il en s'extirpant hors de l'eau. C'est vraiment fini.

— Qu'est-ce que ça peut faire? Tu as Astra! C'est une bombe!

Owen tâcha de remonter le moral de son pote en lui donnant son propre verre de Ketel One.

Rhys secoua la tête et sortit de la piscine.

— Mec, je peux pas faire ça. Je suis mouillé, bordel! (Il baissa les yeux comme s'il venait de s'en rendre compte.) Il faut que je parte.

Owen le regarda, dégoulinant d'eau et à deux doigts d'éclater en sanglots, et se sentit indiciblement coupable. Il avait cru que Rhys commençait vraiment à oublier Kat, mais peut-être l'avait-il uniquement pensé parce que cela l'arrangeait.

— Tu devrais peut-être rester ici avec ta sœur, non? demanda Rhys d'un ton monotone, répondant à sa propre question.

Owen reposa son verre, se disant que Rhys était son ami. Mais Kat était… Kat.

— Ouais, désolé, *man*, s'excusa Owen, super mal. Tu es sûr que tu ne veux pas rester? demanda-t-il, la mort dans l'âme, en regardant les Converse noires John Varvatos édition limitée de son ami.

— Non, répondit Rhys d'une voix entrecoupée de sanglots, arrivant à peine à faire sortir ce mot.

Ses pieds faisaient un bruit d'écrabouillement à chacun de ses pas alors qu'il laissait la piscine, la soirée et l'amour de sa vie derrière lui.

Et s'il essayait un nouveau look? Il paraît que les moustaches broussailleuses sont super tendance…

la loi d'**a** : quand ça va mal, ça va mal

— J'aime vraiment bien Owen Carlyle, observa Jiffy Bennett à moitié bourrée sur les genoux de Hugh More dans un fauteuil à dossier inclinable à côté de la piscine. Mais tu sais, ce soir, je suis ouverte à tout.

Les yeux noisette de Hugh s'ouvrirent en grand d'impatience quand Jiffy jeta ses minuscules bras autour de son gros cou.

La soirée faisait rage depuis quatre heures et, à 1 heure passée, l'ambiance était vraiment chaude. La piscine regorgeait de filles en soutien-gorge et culotte La Perla qui ne laissaient rien à l'imagination, surtout dans l'eau. Le meuble à alcool avait été complètement mis à sac et Avery avait passé la dernière heure à étreindre avec enthousiasme tous les gens qu'elle avait rencontrés en essayant de se rappeler leur nom.

Ce qui est difficile quand vous êtes tellement saoule que vous ne vous rappelez même pas le vôtre.

— Hé, tu sais que quoi que tu fasses maintenant, ce n'est pas consensuel! cria Sydney à Hugh en sortant de la piscine en petit haut blanc sans manches et short de garçon presque transparent. Hugh semblait au septième ciel d'avoir une fille qui lui grimpait dessus et une autre presque nue devant lui. Les innombrables piercings de Sydney l'hypnotisèrent momentanément.

— Pense au consentement, c'est tout ce que j'ai à dire, reprit Sydney en foudroyant Hugh du regard et en s'en allant d'un bon pas.

Dans le solarium, Avery était assise sur le canapé, entourée de dizaines de nouveaux amis. *Bien fait pour toi, Satchel*, songeat-elle, ivre, en pensant à la fillette de cinq ans qui vivait chez Jack Laurent. Grand-mère Avery serait tellement fière d'elle. Elle remporterait cette élection – qui serait définitivement dans la poche une fois que tout le monde prendrait les sacs cadeaux en sortant. Elle avait fait confectionner ses colliers dans une adorable boutique de bijoux sur mesure sur Prince Street. A = CLACS était écrit en minuscules lettres en or blanc délicates, de sorte que le collier était *ghetto-fabulous* dans un genre chic, friqué et trash.

N'a-t-elle jamais entendu parler de boutons de campagne ?

— Je suis tellement contente que l'on soit maintenant amies, confia Avery à Jack en énonçant très prudemment chaque mot.

Toute la nuit, Jack était restée ses côtés, lui avait apporté à boire, avait suggéré à tout le monde de faire des shots, avait commencé un jeu de « Je n'ai jamais… » dans la piscine et veillé à ce qu'une musique géniale beugle des enceintes. Avery étreignit sa nouvelle amie. Jack était fantastique. Qu'est-ce qu'elle avait pu se tromper sur son compte !

— Moi aussi, Ave, répondit Jack en s'extrayant de son étreinte. Je reviens de suite.

Elle sortit sur le porche de l'hôtel particulier. Tout était tranquille ici, excepté le bruit sourd de *What Goes Around Comes Around* de Justin Timberlake derrière elle. Contrairement à Avery, elle n'avait bu que quelques verres et l'air frais de septembre la débarrassa complètement des quelques substances résiduelles.

Jack sortit son Treo et composa le 311, la ligne d'informations et de plainte du gouvernement de New York. Elle écouta la musique d'attente gonflante de Frank Sinatra en levant les yeux sur le ciel bleu noir.

— Allô, Marion à votre écoute, que puis-je faire pour vous ? fit une femme qui avait l'air de s'ennuyer ferme au bout du fil quand elle prit enfin l'appel.

— Bonjour, je voudrais porter plainte pour nuisances sonores, déclara Jack d'un ton doux.

— Adresse ? demanda la femme d'une voix râpeuse.

Jack regarda la plaque de fer vissée sur la porte en chêne de l'immeuble.

— 64, 61e Rue Est.

Elle sourit en entendant les basses marteler bruyamment la porte. D'ici demain, Avery Carlyle serait finie.

Espérons qu'elle apprécie son dernier verre…

— Bien m'dame, nous envoyons quelqu'un.

Marion raccrocha et Jack rejoignit rapidement la soirée, mit Nas à fond en entrant en collision dans une Sydney presque nue en caleçon et petit haut sans manches transparent. Elle se dirigea d'un bon pas au coin de la piscine et tira une Jiffy à moitié inconsciente des genoux de Hugh Moore.

— On y va, annonça-t-elle d'un ton cassant.

— Mais Hugh et moi commencions tout juste à faire connaissance ! protesta la jeune fille tandis que Hugh faisait un sourire lascif en caressant sa demi-barbe.

— Il ne vaut mieux pas que tu fasses sa connaissance, crois-moi, dit Jack en essayant de faire se relever Jiffy. À ce moment-là, des sirènes hurlèrent dehors et des coups autoritaires furent frappés à la porte.

Avery alla ouvrir, tout sourires, deux bouteilles de rhum à la main. Elle adooooooooorait les soirées, surtout quand des gens continuaient à arriver à pas d'heure. Mais quand elle ouvrit la porte d'un coup, au lieu de mignons garçons de St. Jude's, elle vit une femme petite et trapue et un homme mince et super grand, portant tous deux les uniformes de la police de New York. *Ouh là là!* Avery resta sans voix.

Et bourrée.

— Plainte pour tapage nocturne, annonça la femme.

La policière brune brandit un badge. Des jeunes se mirent à se déverser par la porte d'entrée, impatients de s'échapper avant que leurs parents ne soient mis au courant. Le policier ferma la porte et se campa devant, provoquant une marée humaine qui se déversa dans le séjour, où quelqu'un avait judicieusement pensé à baisser la musique et à allumer les lumières. Avery vit tous les gobelets par terre et de mystérieuses flaques à divers endroits. L'espace d'une seconde, elle imagina que l'étage devait aussi être dans un sale état puis reporta son attention sur les policiers. Ils n'étaient manifestement pas venus vérifier si la maison était en bazar ou pas.

— Qui organise cette soirée? demanda la femme, dont l'insigne disait AGENT BEECHER, en regardant autour d'elle. Sans la musique, les invités s'étaient rassemblés par petits groupes de deux ou trois. Hugh avait pris une édition rare des *Œuvres de Shakespeare* de grand-mère Avery dans la bibliothèque et lisait un monologue d'*Othello* d'une voix de baryton. L'officier Beecher le regarda en arquant un sourcil puis reposa les yeux sur Avery.

— Nous répétions juste une pièce de théâtre, expliqua Hugh en haussant les épaules en tâchant de sauver Avery.

Comme c'est mimi.

— C'est moi, annonça Avery en essayant de prendre une voix la plus autoritaire possible.

Elle posa les deux bouteilles de rhum sur le canapé, dans l'espoir que les policiers ne les aient pas remarquées. Owen surgit derrière elle.

— Merde, murmura-t-il en passant un bras protecteur autour d'elle.

— Avez-vous une pièce d'identité? demanda l'agent Beecher.

Avery secoua la tête d'un air malheureux. Elle entendait son cœur marteler ses oreilles. Ils ne pouvaient pas l'arrêter, n'est-ce pas?

— Bien, dit le policier en fronçant les sourcils. Avez-vous une autorisation pour cette soirée?

— C'est la maison de ma grand-mère! protesta Avery d'une voix stridente.

— Nous avons reçu une plainte pour tapage nocturne. Où est votre grand-mère? Est-elle là? demanda l'agent Beecher.

— Elle est *morte*! gémit Avery.

Les deux agents roulèrent des yeux.

— Bien, d'après ce que nous avons ici, cette maison est la propriété du cabinet d'avocats Meyers & Mooreland. Malheureusement, tant que nous n'aurons pas parlé au propriétaire de cette maison, nous sommes contraints de vous arrêter pour violation de propriété privée. Mettez vos mains dans le dos.

Le cœur d'Avery s'envola dans sa poitrine. Elle n'était pas une criminelle.

— Écoutez, inspecteur. Je suis son frère… commença Owen, mais aucun des policiers ne sembla l'entendre.

— Ça ne fera pas mal, dit le policier quand le métal froid se referma sur les poignets de la jeune fille dans un cliquetis sourd et sinistre.

— La fête est terminée, annonça la policière à la foule.

Ce n'était pas nécessaire. Tout le monde courait déjà dans tous les sens.

— On continue la fiesta chez moi ! hurla Hugh d'une voix perçante dans la mêlée.

Les deux policiers conduisirent Avery dehors vers la voiture de police. Les lumières rouge et bleu projetaient un éclat sinistre sur la rue désertée. Avery entendit ses reniflements désespérés quand elle descendit les majestueuses marches de grès en direction du véhicule.

— Vous n'en avez pas vraiment besoin, dit le policier en gratifiant Avery d'un regard compatissant. Puis il détacha les menottes et aida la jeune fille à monter à l'arrière.

Elle s'assit dans le véhicule de police, en proie à un mal de tête carabiné. Elle caressa le collier fait sur mesure qu'elle portait sous sa robe en guise de porte-bonheur. Quand la voiture s'arrêta à un feu, elle le sortit pour l'examiner.

Les lettres disaient A = CLACS en cursive élégante.

Avery le regarda fixement, puis éclata en sanglots bruyants et convulsifs. Autant qu'on la jette en prison pour toujours, car sa vie à Constance et dans l'Upper East Side était *finie de chez fini*.

— Nous en avons une vivante, soupira le policier.

Attendez qu'elle leur dégueule dessus.

a préfère les manchettes au métal

Médusé, Owen regarda sa sœur se faire embarquer dans la voiture de police. Il sortit son portable pour appeler sa mère, gêné de la déranger le soir du vernissage de sa grosse exposition itinérante de Brooklyn.

— Owen ? répondit Edie, l'air quelque peu énervée.

On entendait au fond les rires et les verres qui s'entrechoquaient. Edie s'éclatait manifestement beaucoup plus qu'eux.

— Salut maman, dit Owen, avec une furieuse envie de rentrer sous terre.

Si Edie laissait les triplés faire ce qu'ils voulaient, c'était en partie parce que ce genre de mésaventure ne leur arrivait jamais.

— J'ai reçu un coup de fil de la police à propos de la fête. Comme le poste est juste à côté, je leur ai dit que Baby et toi viendrez la chercher.

— Désolé maman, marmonna Owen.

Où *était* Baby d'ailleurs ? Il ne l'avait pas vue de toute la soirée. Ni la veille d'ailleurs.

— Appelle-moi dès que tu seras à la maison.

Incapable de localiser sa toute petite sœur rebelle, Owen s'assura que les invités s'étaient éparpillés et ferma la maison de grand-mère Avery. Puis il courut jusqu'au poste de police, à quelques pâtés de maisons.

Il se sentit nerveux quand il entra, mais trouva aussitôt que le poste de police tenait moins de la série *New York Section Criminelle* que du commissariat de police de Nantucket qu'il avait visité une fois lors d'une sortie scolaire. Un flic était assis derrière un bureau en bois massif. Un vieux téléviseur noir et blanc marchait en fond sonore, de temps en temps interrompu par les fritures d'une des radios de la police. La policière qui avait arrêté Avery se limait les ongles sur une chaise à côté de la cellule de dégrisement.

Avery, assise dans un coin de cellule, chevilles croisées, pleurait comme une hystérique. Elle tenait ses poignets l'un contre l'autre sur ses genoux comme s'ils étaient encore attachés par des menottes invisibles. Sur le mur opposé de la cellule se trouvaient des toilettes et un petit évier crasseux.

— Mouche-toi, ma belle, cria la policière, ennuyée.

Avery sanglotait de façon incohérente, le visage tout rouge, mouillé de larmes et de morve. Owen était hypnotisé. Il n'avait jamais vu sa sœur comme cela, pas même la fois où elle avait été classée deuxième à l'élection de Miss Reine du Homard en cinquième. Pas même quand ils étaient petits.

— Ma famille a les avocats les plus puissants de la ville, lança Avery en ayant du mal à articuler sans remarquer son frère. Il faut aussi que j'aille faire pipi, mais je n'utiliserai *pas* ces toilettes et si j'attrape une infection urinaire, je pourrais vous poursuivre en justice, vous savez.

Elle cogna sur les barreaux pour l'effet.

— C'est votre sœur ? demanda le policier à Owen. Vous pouvez la ramener chez vous. Nous avons parlé à votre mère. Elle était au courant de votre fête et il n'y a donc pas violation de propriété privée.

Owen se fendit d'un grand sourire, soulagé qu'ils ne se soient pas attiré de problèmes. Il savait qu'il devrait se sentir mal, mais voir Avery-la-guindée en cellule de dégrisement était hilarant.

— Hé, Ave! cria-t-il, sa voix résonnant sur le béton et le linoléum.

Elle leva les yeux. Owen sortit son iPhone et prit une photo d'elle derrière les barreaux pour la postérité.

— Ne vous inquiétez pas, Miss Blondie a une super photo d'identité judiciaire qu'elle sera ravie de proposer pour l'annuaire de son lycée, railla le flic derrière le bureau.

La policière ouvrit la porte et Avery tomba dans les bras de son frère en trébuchant.

— Owen, tu m'as sauvée, dit-elle en articulant mal.

— Viens, on rentre à la maison. Dis au revoir aux gentils policiers, ajouta Owen, qui ne pouvait s'empêcher de la taquiner.

Le policier derrière le bureau semblait presque triste de la laisser partir. Ç'avait dû être une soirée divertissante.

Owen poussa sa sœur dans un taxi.

— 72e et 5e, annonça-t-il.

Il remarqua que le chauffeur, pris de panique, dévisageait Avery. Son visage était maculé de maquillage, ses yeux injectés de sang, son nez coulait et sa bouche était grande ouverte, comme une ivrogne, comme si respirer demandait un effort surhumain.

— Elle va bien, assura-t-il au chauffeur.

— Je peux faire des bruits de sirène si ça peut te permettre de te sentir chez toi, plaisanta Owen.

Avery sombra sur son épaule et se mit à ronfler.

Tsk tsk tsk. Que dirait grand-mère?

Le taxi se gara devant leur immeuble de vingt étages, et Owen aida sa sœur à naviguer jusqu'à la porte d'entrée à marquise verte. Du coin de l'œil, il remarqua Kat assise sur le banc de bois à droite de l'entrée, dans l'obscurité des buissons.

— Salut, murmura-t-il. Je redescends dans une seconde.

Il entraîna Avery dans l'ascenseur, la traîna dans leur appartement et la souleva sur son lit parfaitement fait. Il enleva ses chaussures et piqua pratiquement un sprint jusqu'à l'ascenseur, sortit et se dirigea vers le banc en bas.

— Salut ! murmura-t-il, brusquement épuisé.

— Elle va bien ? demanda Kat en jouant avec une mèche caramel entre ses doigts.

— Elle ira bien, en fin de compte, fit Owen en haussant les épaules. Sa fierté sera plus blessée que le reste. (Il remarqua la chair de poule sur les minces bras de Kat et mourut d'envie d'envelopper ses bras autour d'elle.) Tu as froid ?

— Un peu, avoua-t-elle. (Elle remonta ses genoux contre sa poitrine, ressemblant tout d'un coup à une enfant vulnérable.) J'ai cru que je ne te reverrais plus jamais après Nantucket, dit-elle avec un petit sourire.

Le portier les regarda puis détourna les yeux.

— Marchons un peu, je te raccompagne chez toi, proposa Owen d'un ton bourru.

Kat se leva et Owen la vit tendre la main vers lui. Il croisa ses bras bronzés sur son T-shirt gris fin pour qu'elle ne puisse pas lui prendre la main. Sinon, il serait incapable de faire ce qu'il avait à faire.

— C'était une soirée sympa, poursuivit-elle en remontant la 5e Avenue. (La rue était vide, excepté le portier sur le seuil de chaque immeuble.) J'ai été contente de voir Rhys avec une autre fille.

Owen sentit une boule se former dans sa gorge, mais accéléra le pas pour raccompagner Kat chez elle avant de se mettre à l'embrasser partout. Il sentait la chaleur que dégageait son corps. Il se força à penser à Rhys, le cœur brisé et trempé jusqu'aux os, à la soirée. Son pote avait besoin de Kat, et en aucune façon celle-ci ressortirait avec Rhys si Owen était encore là. Il prit son courage à deux mains et regarda droit devant lui. Ils se trouvaient presque devant chez elle. Il s'arrêta, lui prit la main une fois à l'angle. Le feu disait INTERDICTION DE TRAVERSER mais peu importait; il n'y avait pas de voitures.

Owen regarda Kat dans ses yeux bleu argent et respira un bon coup.

— Quoi? demanda-t-elle.

— La nuit que l'on a passée ensemble à Nantucket ne voulait rien dire. Je sais que tu aimerais que j'éprouve des sentiments pour toi moi aussi, mais ce n'est pas le cas. C'était juste… une aventure d'un soir, mentit-il.

Il ne parvenait pas à croire combien il avait l'air salaud à mesure que les mots sortaient de sa bouche.

— Tu ne le penses pas, répondit-elle d'un ton calme, le transperçant avec ses yeux bleus.

Owen ôta ses mains d'un coup et recroisa les bras sur sa poitrine

— Si. C'était une aventure d'un soir. Je n'éprouve rien pour toi, répéta-t-il, puis il tourna rapidement les talons et se hâta de redescendre la rue en direction de son appartement.

— Attends.

Il s'arrêta et se retourna. Les yeux de la jeune fille étincelaient. Elle mit ses mains sur ses hanches comme une guerrière amazone. Elle ne pleurait pas. En fait, elle avait l'air plus énervée que triste.

— Alors, tout ce que tu as dit…

— Oublie, cracha Owen en tâchant d'imiter Avery quand elle était d'une hypocrisie horripilante.

Il fouilla dans les poches de son jean Diesel d'où il sortit la gourmette Tiffany et sentit ses rainures familières quand il la lui rendit. Il ne put résister à l'envie de refermer ses doigts dessus avant de tourner les talons et de parcourir les cinq rues jusqu'à chez lui, l'image des yeux confus et implorants de Kat brûlant un trou dans son cerveau.

Il gratifia le portier d'un signe de tête impassible et alla jusqu'à l'ascenseur. Son propre visage plein de chagrin lui rendit son regard dans les miroirs brillants qui tapissaient l'entrée.

Si tout se passait comme prévu, Rhys et Kat ne tarderaient pas à ressortir ensemble, et ils seraient tous les deux heureux. Quant à Owen, il était prêt à découvrir ce que Manhattan avait à offrir d'autre.

Mesdames, la file d'attente commence par ici.

tu ne voudrais pas que ta petite amie soit
*aussi drôle que **b** ?*

Dimanche matin, Baby, mal à l'aise, se tourna et se retourna dans le sable, tâchant de continuer à dormir. Elle avait passé tout le samedi sur la plage et avait fini par s'endormir au bord de l'eau. Son hamac d'été avait été enlevé par les amis de la famille qu'Edie avait invités pour s'occuper de la maison, de fait elle avait fini par trouver un vieux sac de couchage dans la cabane à outils qu'elle avait tiré jusqu'au bord de l'eau. Enfin, elle avait fini par s'endormir à force de pleurer. La dernière chose qu'elle voulait faire était de se réveiller et de se remettre à pleurer.

Elle coinça ses fesses dans un petit trou dans le sable et ferma les yeux bien fort pour cacher toute lueur. Alors qu'elle sombrait, elle sentit une langue chaude lui lécher le visage. *Tom?* songea-t-elle quand ses grands yeux noisette s'ouvrirent d'un coup. À la place de son ex-petit ami contrit, elle contempla le visage très poilu, blond et enthousiaste de Nemo.

— Que fais-tu ici? demanda-t-elle, étonnée, en caressant la fourrure du chien.

Elle se demanda s'il s'agissait d'un rêve bizarre post-rupture inconscient, mais Nemo lui semblait bien réel.

— Eh bien, tu sais, les gros chiens ont besoin de se dépenser.

De la main, elle se protégea les yeux du soleil et vit le visage de J.P. se fendre d'un grand sourire. Il portait un pantalon vert orné de minuscules grenouilles et de poissons.

Elle s'extirpa de son sac de couchage rouge duveteux et se leva, ôta le sable de sa jupe de Constance Billard. Elle ne savait pas si elle devait rire, pleurer, ou serrer simplement J.P. dans ses bras. Elle le regarda en plissant les yeux et mit ses mains sur ses minuscules hanches.

— Les gros chiens ont besoin de se dépenser sur ma plage ? le défia-t-elle.

J.P. rougit.

— Tu lui as manqué, dit-il simplement en regardant Nemo lécher sa cheville avec une joyeuse désinvolture. Les chiens ne voulaient pas que tu t'en ailles.

Baby s'agenouilla et enfouit son visage dans le pelage doux de l'animal. Il haleta de joie dans son oreille.

— En tout cas, ta *petite copine* voulait vraiment que je m'en aille, elle, rétorqua Baby, le visage toujours enfoui dans le pelage du chien.

Elle n'allait pas lui faciliter la tâche. Une vague s'écrasa bruyamment sur le rivage.

— C'est un peu pour cela que je suis venu, annonça J.P., brusquement sérieux. (Il fourra ses mains dans les poches de son pantalon orné de grenouilles.) Je suis désolé de m'être comporté comme un minable envers toi l'autre jour. Avec Jack, clarifia-t-il. Tu ne le méritais pas.

— Peux-tu aussi t'excuser pour ton pantalon ?

Le visage de Baby s'illumina brusquement d'un sourire. Elle plaça ses cheveux raides et salés derrière ses oreilles. Qui achetait, et encore moins portait, un pantalon orné de *bestioles* ? En un sens, c'était presque un style autant « je me fiche de l'avis des autres » que le sien. Le soleil du matin tapait sur son visage et, pour la première fois en vingt-quatre heures, elle eut chaud.

— Enfin bref, la raison pour laquelle je suis là, c'est… veux-tu rentrer à New York? demanda-t-il d'un ton hésitant. Les chiens ont besoin de toi, conclut-il avec rudesse en s'empourprant légèrement.

Baby marqua une pause, contemplant l'étendue de l'océan qui léchait le sable. Pourrait-elle quitter son petit paradis insulaire? Elle pensa à la soirée qu'elle avait loupée la veille et sentit une vague de tristesse en songeant qu'elle avait laissé Avery, Owen et leur mère sans aucun égard. Ils lui manquaient. Elle se tourna vers J.P. qui la regardait, plein d'espoir, si *beau*. Peut-être que New York ne serait pas si nul, après tout.

— Tu as apporté l'hélico? demanda-t-elle.

— Ouais, avoua-t-il. (Puis il sortit deux billets froissés de sa poche.) Mais j'ai aussi acheté des billets de ferry. Mon père avait besoin de l'hélico cet après-midi, expliqua-t-il. Je me suis dit que l'on pourrait rentrer en prenant le chemin des écoliers.

Baby ne sut que dire. Cashman Junior qui s'arrêtait au tout petit terminal de ferry de l'île pour acheter des billets?

— Une voiture nous attend à Boston, reprit-il. À moins que tu ne veuilles prendre le bus?

Baby se fendit d'un grand sourire.

— Pas forcément, répondit-elle.

Elle avait envie de rire et de pleurer en même temps. Elle rentrait chez elle. Dans un nouveau chez-elle. Et cette fois, elle était plutôt enthousiaste à cette idée.

Hummmm… On se demande pourquoi?

a obtient tout ce qu'elle a jamais désiré

Quand Avery se réveilla, elle était étendue dans ses vêtements de la veille sur son dessus-de-lit rose. Il était presque midi; elle avait un mal de crâne carabiné et ses cheveux blonds étaient emmêlés d'un côté de sa tête. Elle avait l'impression qu'un camion lui avait roulé dessus.

Bonjour Miss Poivrote!

Elle balança ses jambes hors du lit et se rendit tout doucement dans la salle de bains, mourant d'envie de boire de l'eau pour se débarrasser de ce goût de vieilles chaussettes dans sa bouche. Elle ouvrit la porte de la salle de bains adjacente et faillit hurler quand elle se vit dans le miroir. Sa robe noire complètement chiffonnée arborait une tache bizarre sur le corsage. Il y avait une série de petits bleus qui formaient une chaîne autour de ses deux poignets. De terribles images de la nuit précédente affluèrent dans sa mémoire. Elle se rappela s'être bourré la gueule. Les phares aveuglants de la voiture de police. L'odeur de vomi sur le lierre qui entourait l'hôtel particulier quand les flics l'avaient escortée au-dehors. Elle s'approcha de plus près de la table de toilette Carrera et regarda fixement son reflet. Elle était complètement nase. Nase avec un collier en or. Un collier qui disait CLACS.

— Bonjour mon rayon de soleil, roucoula Edie en entrant

dans sa chambre en survêtement tout blanc qui fit mal aux yeux d'Avery.

Elle tira les rideaux verts d'un coup et ouvrit la fenêtre, se pencha au-dehors et respira profondément. Avery referma la porte de la salle de bains et fila sous la couette avant que sa mère ne puisse voir dans quel état elle était. D'accord, sa mère était toujours préoccupée, mais pas au point de ne pas remarquer qu'Avery se trouvait dans un état pire que les sculptures gratuites qu'elle ramassait dans la rue.

— Comment te sens-tu ? demanda-t-elle d'un ton léger, mais il y avait de l'inquiétude dans sa voix.

— Pas bien, croassa Avery en agrippant les couvertures.

— Tu veux m'en parler ?

Edie s'assit sur la housse de couette en soie rose, caressa Rothko venu dire bonjour. Il donna des petits coups de son nez moustachu dans les pieds d'Avery. Edie regarda sa fille d'un air impatient.

— En fait, tu sais quoi ?

Elle se leva et sortit de la pièce d'un pas tranquille avant de revenir une minute plus tard avec neuf bougies rouges. Elle les disposa sur la coiffeuse d'époque blanche qu'Avery avait rapportée de la maison de sa grand-mère et les alluma une à une.

— C'est pour te souhaiter bonne chance cette année à l'école et supprimer toute la mauvaise énergie de la nuit précédente. Je sais ce qui s'est passé.

Avery sortit sa tête blonde de sous sa couette Frette en se demandant ce que sa mère savait au juste.

— Je dois dire que je suis déçue. Pas tant de vous trois, mais surtout de la police dans son ensemble. Il semble que les choses soient différentes ici que quand j'étais jeune.

Edie fronça ses sourcils blonds quand elle alluma les bougies.

Avery s'assit dans son lit et regarda sa mère, stupéfaite. C'était tout?

Les flammes des bougies s'agitaient dans la brise matinale.

— J'aurais dû faire cela plus tôt, mais j'ai été tellement occupée, soupira Edie comme pour s'excuser.

Avery cacha son visage sous sa taie d'oreiller monogrammée. Elle ne voulait pas avoir affaire aux incantations mystiques de sa mère. Pas aujourd'hui. Et si Maman l'aidait tout simplement et lui apportait un Advil?

Ou un bloody mary?

— En fait, où est Baby? Je suis sûre que cela l'aiderait aussi, reprit Edie d'un ton songeur.

Avery s'assit dans son lit. Où *était* Baby? Elle n'était même pas venue à sa fête hier soir et avait ignoré tous ses textos.

— Hum… commença-t-elle brillamment.

Elle sortit son portable de sous son oreiller. Avait-elle dormi dessus? Beuh. Elle n'avait pas de texto de Baby – juste un de Sydney.

SOIREE GENIALE. JE SAVAIS QUE T'AVAIS CA EN TOI!

Avery cacha son téléphone sous la couette. Si l'abrutie de service de Constance Billard trouvait que c'était une super soirée, alors sa vie mondaine était *forcément* fichue.

— Où est-elle? insista Edie. Je ne l'ai pas vue ce matin.

— Elle est à… une manifestation, bafouilla Avery, sans savoir d'où venait ce mensonge. (Elle pensa à Sydney.) Sur les wallabies en captivité. Comme au zoo.

Les wallabies? Était-elle encore saoule?

Tout à fait possible.

— Oh! s'exclama Edie. Elle a dû prendre notre conversation à cœur.

Avery, surprise, regarda sa mère.

— Elle a trouvé une cause, expliqua vaguement sa mère en agitant une main chargée de turquoise.

— J'imagine, marmonna Avery.

— Mais alors, elle ne sera pas là pour le brunch, observa Edie, l'air déçu.

Et je viens de perdre le seul autre vote pour l'élection, réalisa Avery.

Comme si cela avait une quelconque importance après le désastre de la nuit précédente.

— J'ai tellement hâte de renouer contact avec mes vieilles copines de lycée! Quoique, en y repensant, nous ne nous entendions pas vraiment bien au lycée, soupira Edie. Seras-tu prête dans dix minutes?

Quand Avery tira sa carcasse non douchée en robe Lilly Pulitzer hors d'un taxi dans le Tavern on the Green derrière sa mère, son estomac ne s'était que légèrement calmé et elle souffrait encore d'une méchante migraine. Les lumières du Tavern on the Green scintillaient et les filles étaient toutes réunies dans la salle Crystal, qui ressemblait un peu à une serre avec ses fenêtres qui allaient du sol au plafond. La salle était remplie de tables rondes aux nappes de lin blanc, recouvertes de compositions de lis et orchidées blancs, et le soleil se répandait à flots par les fenêtres. En temps normal, c'eût été joli, mais avec une gueule de bois, tout le décor ressemblait à une espèce d'outil de torture. Autour d'elles, les filles aux maxi lunettes de soleil Gucci avançaient en trébuchant vers la table recouverte d'une nappe en lin où l'on voterait pour la CLACS. Là, une boîte bleue Tiffany avec un trou découpé sur le dessus débordait de bulletins de vote – tous sans aucun doute pour que Jack Laurent soit élue CLACS. Avery se demanda si elle devait même prendre la peine d'y mettre son propre vote et se ravisa. Ce serait trop, trop pathétique.

— Je me demande si je devrais suggérer à Mme McLean d'instaurer une sorte de dotation artistique à partir du fidéicommis de grand-mère, fit Edie d'un ton songeur en passant la salle en revue. (Elle portait la robe à fleurs bleues qu'elle avait elle-même teinte à la main.) Ce serait super d'encourager l'expression créative. Tout le monde ici se ressemble.

Elle fronça les sourcils de déception en regardant la foule de filles à la gueule de bois, en robes toutes simples et lunettes de soleil.

Edie guida Avery en direction des tables rondes, cherchant les cartons de table qui indiquaient leur place.

— Edie Carlyle! (Une femme châtain maigre les accosta.) Gwendolyn Bennett. (Elle tendit une main dégoulinant de bracelets Cartier en or.) Je dois dire que tu es toujours aussi... artistique, dit-elle en jaugeant Edie de la tête aux pieds. Et ce doit être l'une de tes filles?

Avery fit un sourire coincé tandis que Gwendoline l'examinait soigneusement avec ses tout petits yeux de rongeur.

— Oh, bonjour Gwendoline. Je me souviens très bien de toi. (Edie fit approcher la femme et l'embrassa sur les deux joues.) Voici Avery. Mon autre fille Baby se trouve à une espèce de manifestation pour les wallabies. Apparemment, ils sont horriblement mal traités dans les zoos. Tu imagines?

— On ne mâche pas ses mots, comme d'habitude. (Gwendoline était toute mielleuse et Edie serra ses lèvres en fine ligne.) Ma fille Jiffy va en classe avec les tiennes. Et j'ai tellement entendu parler d'elles que j'ai l'impression de les connaître.

Elle fit un sourire à Avery qui grimaça. Elle savait que venir à cette élection serait un désastre. Ne pouvait-elle pas simplement mourir en paix? Elle s'excusa et alla dans la salle adjacente où les filles descendaient des mimosas en échangeant des messes basses.

— Il paraît qu'elle était tellement pétée à sa soirée qu'elle a fini par se pisser dessus, murmura Jiffy, assise à une table à côté de Sarah Jane et de la mère de celle-ci, maigre comme un clou, qu'Avery reconnut pour l'avoir vue sur d'innombrables sites à la mode.

— Je sais. (Sarah Jane opina.) Et il paraît qu'elle va aussi aller en prison, mais genre, sa mère ne sait pas encore comme c'est grave. Elles essaient de trouver un avocat, mais personne ne voudra toucher à cette affaire.

Les minuscules yeux gris de Sarah Jane se posèrent rapidement sur Avery qui passait à côté d'elles, la tête haute. Elle regrettait d'avoir fait don de tous ses sweat-shirts NHS à Goodwill dès qu'elle avait appris qu'elle déménageait, car elle désirait retourner sur cette île tranquille où rien ne se passait, s'enfermer dans le grenier et élever des émeus.

Des groupes de filles se dirigeaient vers la table des élections présidée par une seconde frisée. Avery passa nonchalamment devant, mais même la seconde la foudroya du regard comme si Avery risquait de contaminer les élections si jamais elle s'en approchait de trop près.

— Oh te voilà, lança Edie en passant un bras autour de l'épaule d'Avery et en ayant l'excellente idée de l'entraîner loin de l'urne. J'ai trouvé notre table et d'autres dames sont fascinées par le travail que fait Baby avec les wallabies. Ça te dérangerait de venir discuter avec elles?

Avery roula des yeux d'un air malheureux, tâchant de ne pas avoir de mouvement de recul quand une armada de serveurs en gilet noir déposa des assiettes croulant sous des œufs brouillés couleur jonquille sur chaque table.

Elle s'assit, s'efforça de ne pas vomir sur l'argenterie ni les serviettes ivoire. À côté d'elle, Edie discutait d'un ton animé avec la mère d'une fille à la silhouette en forme de camion à propos des animaux indigènes. Une vieille dame, toute petite, en tailleur St. John en tricot noir, s'approcha d'Avery en examinant soigneusement le badge nominatif ringard accroché à sa poitrine.

— Vous devez être la petite-fille d'Avery Carlyle, dit-elle d'une voix râpeuse.

Avery sentit ses gouttelettes de salive atterrir près de son oreille quand elle virevolta sur elle-même et opina. Elle doutait que sa grand-mère ait encore envie d'avoir un quelconque lien de parenté avec elle. La femme lui adressa un sourire aimable.

— Muffy St. Clair. (Elle lui tendit la main.) Votre grand-mère et moi nous sommes attiré beaucoup d'ennuis, dans le temps. On pouvait compter sur elle pour rendre la ville intéressante. J'espère de tout cœur que vous allez suivre ses traces, ajouta-t-elle en entrechoquant sa coupe de Veuve Clicquot contre le San Pellegrino de la jeune fille.

Rien que penser à l'alcool lui donnait envie de vomir.

— Merci, dit Avery en lui adressant un sourire gêné.

— Tu vois? (À quelques tables de là, Sarah Jane donna un violent coup de coude dans les côtes de Jiffy.) Elle essaie de devenir super pote avec le conseil des anciens élèves pour qu'ils la laissent rester à Constance.

Blanche, la mère de Geneviève, se faufila auprès d'elles.

— Pauvre fille, murmura-t-elle. Et regardez sa mère. (Elle désigna Edie du doigt, laquelle filait tout droit vers Mme McLean.) Elle essaie de la supplier pour que sa fille reste dans l'établissement. Triste, vraiment.

Blanche accompagna Geneviève au bar où toutes deux commandèrent une Ketel One, sèche.

Avery chercha un visage familier des yeux et remarqua Sydney installée, l'air furieux, à côté d'une femme en noir, l'air incroyablement coincé, dont les clavicules saillaient sous son pull en cachemire bleu marine. Jack Laurent était assise à côté d'un homme plus âgé, rougeaud, en costume de lin couleur avoine et chemise bleu pastel, qui regardait sa Rolex en tapant du pied. Il ne semblait horriblement pas à sa place, vu qu'il *s'agissait* d'un brunch mères-filles.

Muffy St. Clair monta sur scène, en chaussures Ferragomo blanches *vintage* soutenue par Mme McLean. Elle tapa sur le micro qui laissa échapper un crissement bruyant.

— Bienvenue, élèves de Constance, anciens élèves et parents, au brunch annuel mères-filles. Pour commencer les festivités, c'est un honneur et un privilège d'annoncer la gagnante de l'élection. (Muffy passa le public en revue.) Quand Constance Billard a été fondée, elle se targuait d'une tradition d'excellence. Les élèves de Constance sont considérées comme des piliers de grâce, d'élégance et d'intelligence, commença-t-elle lentement.

Les gens dans la foule se remirent à parler à voix basse. Avery prit secrètement le mimosa de sa mère, désirant avoir déjà atténué la douleur avant que l'on ne donne le nom de Jack Laurent. Elle sirota une gorgée et faillit gerber.

— La chargée de liaison veillera à ce que cette excellence se poursuive dans le futur, reprit Muffy. (La salle se tut de nouveau. Même les serveurs s'éloignèrent des tables, impatients. Mme M. se fendit d'un sourire crispé, pressée d'en finir avec le brunch. Muffy sortit lentement ses lunettes de lecture de son sac à main Chanel écossais et glissa un doigt ridé sous le rabat de l'enveloppe.) Et la gagnante est un nom que je ne connais que trop bien.

Avery leva brusquement les yeux et vit Jack prendre sa serviette en lin sur ses genoux et la poser sur la table, prête à se lever.

— Avery Carlyle.

Le visage de Muffy se fendit d'un grand sourire. Avery, complètement stupéfaite, passa la salle silencieuse en revue. Un ange passa et Edie mit ses doigts dans sa bouche et partit d'un sifflement perçant.

Avery se leva et se dirigea vers la scène, comme dans un rêve. Elle regarda l'océan de visages tandis que la foule murmurait et commençait à applaudir.

— Si vous avez la moitié de la fougue de votre grand-mère, je m'attends à une merveilleuse année, fit Muffy d'une voix haut perchée en gratifiant Avery d'un clin d'œil.

Si elle n'avait pas eu peur de briser l'un des os fragiles de la vieille dame, Avery l'aurait étreinte bien fort. Mais elle serra vigoureusement sa main et prit le micro.

— Merci, dit-elle d'une voix perçante en regardant la foule. Je suis ravie de diriger la communauté de Constance Billard !

Puis elle descendit bruyamment les marches avec l'impression de flotter.

— Ouh là là, félicitations ! fit Sydney en se frayant un chemin à travers la foule pour retrouver Avery au bord de la scène de fortune et l'étreindre bien fort. Les colliers ? Géniaux, bien sûr ! s'écria-t-elle d'une voix perçante en soulevant son collier A = CLACS. (Il capta la lumière extérieure et Avery regarda autour d'elle et remarqua des étincelles similaires à chaque table.) Tu as fait une de ces sorties hier soir ! Tu es une sacrée rock star !

Avery ferma les yeux bien fort, sa gueule de bois brusquement disparue. Ce n'était pas un rêve. Sa soirée avait été un succès, bien que dans un genre trashy, et les filles portaient ses colliers. *Elles l'aimaient bien !* Peut-être que son estomac *pourrait* supporter une petite coupe de champagne, après tout.

Ou une bouteille. Il faut cultiver l'image de rock star.

— Félicitations, Avery, lança Mme M. d'une voix tonitruante dans le micro.

Jack poussa brusquement sa chaise de la table dans un raclement. Elle pensait qu'elle allait vomir.

— Quoi ? murmura-t-elle presque involontairement.

— Je croyais qu'ils allaient annoncer que *tu* avais remporté ce poste, Jacqueline, murmura son père, furieux.

— Je… couina Jack.

— Appelle-moi quand tu seras vraiment prête à arrêter de jouer, Jacqueline. Tu as menti et tu me déçois énormément.

Son père s'en alla, faillit rentrer dans un serveur qui portait un plateau croulant sous les coupes de champagne. Jack jeta un œil à Avery, qui faisait des gestes de la main à tout le monde comme si elle venait d'être couronnée Miss Amérique.

Jack regarda autour d'elle, mais personne ne semblait être de son côté. Même cette foutue Jiffy portait le collier A = CLACS à moitié dissimulé par le ridicule foulard Hermès autour de son cou. On aurait dit une laisse bizarre.

C'était absurde. Jack se leva et sortit comme un ouragan du Tavern on the Green, faillit entrer en collision avec un joueur de cornemuse dehors. Elle sortit du parc, dans la rue, héla un taxi sur Central Park West, direction chez J.P.

RETROUVE-MOI DEVANT CHEZ TOI, lui écrivit-elle alors que le taxi se frayait un chemin de Central Park à l'East Side. Elle était tellement furieuse que ses mains tremblaient. Elle ne parvenait pas à croire qu'elle avait perdu ce poste stupide et avait hâte que J.P. la console. Au moins, il ne la décevrait pas, *lui*.

Jack se sentit plus calme et ses doigts cessèrent de trembler une fois qu'elle vit J.P. devant l'immense tour d'habitation moderne. L'un de ses chiens débiles était avec lui et il portait son horrible pantalon à bestioles qu'elle le forçait toujours à enlever.

— Hé! cria-t-elle depuis le taxi. As-tu de la monnaie? J'ai oublié mon porte-monnaie.

Elle fit la moue et l'observa fouiller dans son portefeuille.

— C'est pour vous, marmonna-t-il au chauffeur quand Jack descendit du taxi.

— Alors que se passe-t-il? demanda J.P. en étouffant un petit bâillement.

Jack plissa ses yeux verts. Quel était *son* problème? C'était *elle* qui était fatiguée. Fatiguée de cette putain de tempête de merde qu'était sa vie.

— J'ai passé une sale matinée, commença-t-elle. Et je ne comprends pas pourquoi tu m'as laissée seule à cette horrible soirée hier soir, pleurnicha-t-elle. Que vas-tu faire pour te racheter?

Elle avait voulu que sa question ait l'air sexy, mais elle ressemblait plus à une plainte que l'on adresse au service clients.

— À vrai dire, je suis occupé, répondit-il.

Il recula en tenant bien fort la laisse du chien pour qu'il ne saute pas sur Jack.

— À quoi faire? demanda-t-elle en regardant autour d'elle.

C'était dimanche et il était 13 heures – que pouvait-il raisonnablement avoir à faire?

En plus d'elle?

— Et pourquoi tu n'as pas répondu au téléphone hier soir? Je suis censée être ta petite amie.

Elle éleva la voix de plusieurs octaves. N'y avait-il *personne* qui se souciait d'elle?

— Désolé, Jack. Ce n'est simplement pas le bon moment...

— Tu es supposé prendre soin de moi! l'interrompit la jeune fille en voulant le pousser bien fort. Tu es supposé être là pour moi quand j'ai besoin de toi.

— Écoute, Jack. Il faut que l'on parle, dit J.P. en fronçant les sourcils.

Derrière lui, le soleil de septembre se reflétait sur l'immeuble moderne.

— Alors comme ça, tu veux parler maintenant ? Comme c'est pratique. Parce que, vois-tu, je voulais te parler hier soir après que tu as eu quitté cette putain de soi...

J.P. attrapa ses poignets. Elle le fusilla du regard, certaine qu'il allait l'attirer contre lui et mettre ses lèvres sur les siennes rien que pour la faire taire. Elle n'était pas d'humeur. Ou peut-être que si. Enfin bref. Mais il n'essaya pas du tout de l'embrasser.

— Je ne peux plus continuer comme ça, finit-il par dire en la relâchant.

— Quoi ?

Jack sentit un frisson de peur glaciale parcourir son ventre et se demanda si elle allait vomir.

— Tu es hyper exigeante et je ne peux plus continuer comme ça, voilà tout. (J.P. eut l'air épuisé quand il ramassa le chien en vitesse. Celui-ci laissa échapper un petit aboiement.) Écoute, la journée a été longue. Va-t'en... nous discuterons plus tard. (Il héla un taxi et lui ouvrit la portière.) Voici de l'argent pour ta course, ajouta-t-il en sortant un billet de vingt dollars et en le donnant à Jack.

Elle voulait déchirer le billet en mille morceaux et le lui jeter au visage, mais elle le prit. Elle n'avait pas le choix.

— Mais...

— Mais rien, dit J.P. en fermant la portière derrière elle.

Jack ne dit rien de plus. Elle se sentait triste, petite et totalement pathétique. Alors que le taxi redescendait la 5ᵉ, elle remarqua Baby Carlyle au coin, qui portait l'un des T-shirts de Riverside Prep de J.P. et qui promenait ses deux puggles dans l'une des entrées de pierre qui flanquaient Central Park.

Jack ravala ses larmes de colère dans le taxi qui la conduisait à travers la ville, dans son minuscule grenier. Elle ferait de la vie des filles Carlyle un enfer sur terre.

Parce que, comme le savent les francophones, l'enfer c'est les autres.

à trois c'est mieux

Dimanche soir, Baby s'assit dans son hamac de fortune sur la terrasse de leur appartement de luxe, en minishort en éponge et T-shirt à l'effigie de la tournée 1990 des Grateful Dead. Elle leva les yeux sur les étoiles pâles. Le ciel était complètement différent de celui de Nantucket, et quand elle regardait vers le sud, le stupide immeuble des résidences Cashman l'empêchait de voir la lune. Mais dans l'obscurité, et dans un genre totalement capitaliste, les *C* entrelacés étaient presque jolis.

Elle se rallongea, plus épuisée que jamais. Plus elle y pensait, moins elle parvenait à croire qu'elle était sortie avec Tom pendant plus d'un an. Elle avait cru qu'il était authentique, mais ce n'était qu'un dragueur à deux balles accro à la fumette. Elle passa un doigt sur l'épaisse ficelle du hamac. Bizarre que sa vie soit bien plus désordonnée qu'elle l'était une semaine auparavant et pourtant elle se sentait bien plus calme.

La porte s'ouvrit et Owen sortit avec un pack de six Corona.

— Tu en veux une ?

Il ouvrit une bouteille avec les dents et la lui donna.

— Merci.

Baby s'assit et serra ses genoux contre sa poitrine.

— Tu vas bien ? Tu as l'air un peu triste.

Il s'assit sur le hamac à côté d'elle, lequel s'affaissa sous ses quatre-vingt-un kilos et faillit toucher le sol.

— Je suis retournée hier à Nantucket. Tom sortait avec Kendra.

Elle l'annonça d'un ton neutre. Le lui dire ne lui fit même pas mal.

— Tant pis. C'est un thon, rétorqua Owen d'un ton entendu. (Il se rappela la fois où Kendra et lui étaient sortis ensemble lors d'un séjour au ski dans le New Hampshire en classe de troisième.) Et je n'ai jamais beaucoup aimé Tom, ajouta-t-il d'un ton songeur en grattant sa barbe presque fournie.

— C'est pas grave, dit Baby en se rallongeant. (Avec ses chaussettes avoine, son cottage rempli de restes de pizza et sa collection de pipes à eau maison, *c'était* bien un gros loser. Pourquoi ne s'en était-elle pas rendu compte plus tôt ?) Alors j'ai loupé quelque chose ici ? demanda-t-elle.

Elle ne parvenait pas à croire qu'elle avait préféré rendre visite à Tom au lieu d'aller à la première grosse fête de sa sœur et lui tenir la main pendant l'élection. Elle avait été plus égocentrique qu'Avery ne l'avait jamais été.

— Avery s'est fait jeter en prison, annonça Owen en haussant les épaules en descendant sa bière d'un trait.

— Pas possible ! souffla Baby, incrédule. (Elle ne savait pas si elle devait le croire. L'image de sa sœur derrière les barreaux était drôle, tout de même.) Elle va bien ?

— Mieux que jamais, poursuivit Owen en sortant son iPhone. Mais apparemment on ne fait pas la fête façon Nantucket ici.

Il passa en revue son album photos jusqu'à ce qu'il trouve la photo d'Avery toute rouge, le visage inondé de larmes derrière les barreaux. Elle était si pathétique que c'en était hilarant. Baby éclata de rire. Quel dommage qu'elle ait loupé ça.

— Owen, tu as promis de l'effacer ! cria Avery d'une voix

stridente en surgissant derrière eux. (Elle s'empara du téléphone de son frère et appuya rapidement sur « Effacer. » Elle portait un short de volley-ball bleu moulant de Nantucket et le sweat rouge écurie de Tom.) J'avais froid, fit-elle en guise d'explication en avisant le regard de Baby. Mais il pue encore.

— On a rompu. Tu peux le garder, rétorqua Baby en haussant les épaules.

Les yeux d'Avery s'ouvrirent en grand. C'était donc *ce* qu'avait fait sa sœur ce week-end ?

— Alors j'ai cru que tu avais un rendez-vous chaud bouillant avec cette fliquette hier soir ? l'interrompit Owen. Tu sais, à vous faire des coiffures, des tatouages ?

— La ferme ! dit gentiment Avery en prenant une Corona et en frappant, experte, la bouteille contre la balustrade en métal pour l'ouvrir. Au fait, j'ai quelque chose pour toi, reprit-elle en fouillant dans la poche de son sweat-shirt et en sortant le collier A = CLACS qu'elle avait gardé pour Baby. J'ai gagné cette élection à l'école, annonça-t-elle, un large sourire s'étalant sur son visage bronzé. Elle ne parvenait *toujours pas* à le croire.

Baby, toute fière, étreignit sa sœur. Les cheveux soyeux d'Avery tout juste lavés dégringolèrent en cascade sur ses minuscules épaules. Elle méritait bien d'être CLACS ou CALCS, enfin bref. Tant mieux pour elle. Puis Baby se rappela la règle des trois prises. Serait-elle même autorisée à retourner à Constance ?

— Je ne sais pas comment garder le rythme avec vous deux, lança Owen.

Il s'allongea dans le hamac, un sourire taquin aux lèvres. C'était bon de traîner avec ses sœurs. Il n'y avait jamais autant de rebondissements avec les garçons.

Euh… Moi trouver que lui trop protester !

— Et toi, au fait, petit saint ? Tu es sorti avec une nana depuis que l'on est arrivés ? demanda Avery en casant ses fesses entre son frère et sa sœur sur le hamac.

Maintenant qu'elle avait remporté le titre de CLACS, elle pourrait de nouveau fourrer son nez parsemé de taches de rousseur dans les affaires de son frangin et de sa frangine.

— Pas encore. J'attends mon heure. Tu sais, je fais les choses à la Carlyle, répondit Owen sans la regarder.

Il couva presque la 5e Avenue des yeux.

— En tout cas, ton copain était mignon, observa Avery en se rappelant le brun avec qui son frère avait traîné à sa soirée.

Elle sirota une gorgée de Corona, puis se souvint de sa résolution d'éliminer les toxines de la semaine et la reposa sur la terrasse carrelée en terre cuite.

— Tu vois, j'ai passé mon temps à me faire des potes mignons, dit Owen en se débrouillant pour éluder la petite enquête de sa sœur.

— Je propose de trinquer. (Baby se leva et brandit sa Corona en l'air. Avery et Owen firent de même.) À New York !

— À New York ! crièrent les Carlyle, leurs voix résonnant dans l'air du soir quand ils entrechoquèrent leur Corona.

Bravo !

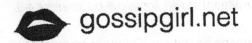
gossipgirl.net

Avertissement : tous les noms de lieux, personnes et événements ont été modifiés ou abrégés afin de protéger les innocents. En l'occurrence, moi.

Salut à tous !

Cheers ! Nous voilà donc avec une nouvelle chargée de liaison et espérons qu'elle saura apporter des changements, du genre : pauses supplémentaires, doubles pauses déjeuner et triple photographie. Sinon, comment trouver le temps de rentrer à la maison, faire crac-crac, prendre une douche et retourner en cours de français avancé pour étudier *L'Étranger* ? Peut-être pourra-t-elle aussi arranger les choses pour que sa sœur se fasse réinscrire à l'école… ou peut-être que non.

Malheureusement **A** n'a pas toutes les réponses – et vous ne les trouverez pas non plus dans votre livre de calcul avancé. Voici ce que j'aimerais encore savoir :

Que se passe-t-il entre **J** et **J.P.** ? Ont-ils fait un break, du genre Will et Kate[1] ou le prince et la princesse de ce côté de l'Atlantique ont-ils rompu pour toujours ? Et qu'en est-il alors de **B** dans l'histoire ?

R et **K** vont-ils se réconcilier ? **O** est-il voué à être seul ou le bourreau des cœurs de Nantucket sera-t-il à la hauteur des

---

1. Allusion au prince William et à Kate Middleton dont l'histoire d'amour puis la rupture ont fait les choux gras des tabloïds dans le monde entier. (*N.d.T.*)

attentes ? Et n'est-ce vraiment qu'un tombeur ou cherche-t-il réellement l'amour ?

Dommage que tout le monde ne soit pas d'humeur amoureuse : **J** est sur le sentier de la guerre. Quelque chose me dit que **A** et **B** ont intérêt à surveiller leur petit cul en Marni. Et nous autres aussi, si ça se trouve...

Une dernière question : n'êtes-vous pas contentes que je sois restée ? Et d'être de la partie ? Ce sera une nouvelle année de folie et je vous raconterai tout sur tout ce qu'il faut savoir. Je vous donne ma parole. Et vous savez qu'elle est *au moins* aussi valable qu'une AmEx platine débit illimité.

Vous m'adorez, ne dites pas le contraire,

Achevé d'imprimer en août 2008
*par **Bussière***
à Saint-Amand-Montrond (Cher)

FLEUVE NOIR
12, avenue d'Italie
75627 Paris Cedex 13

N° d'impression : 082390/1
Dépôt légal : septembre 2008

Imprimé en France